崖歌

陳佳穎

目錄

總幹事序

讓愛擁抱生命

承蒙語文教育及研究常務委員會（語常會）支持及語文基金撥款，本會專業叢書統籌組已連續四年舉辦「校園作家大招募計劃」，致力推廣青年創作及閱讀，助青年一圓作家夢。本年度有超過 370 位富有寫作才華的青年學生申請，為歷屆最多。80 位入圍同學參與歷時六個月的專業寫作培訓，在富啟發性的活動中激發創意，完成上萬字的原創作品。

本書的作者是來自德望學校的陳佳穎。作為本屆計劃的「非小說組」冠軍得主，她於 16 歲之齡就能駕馭洋洋四萬字而詳略得當，頭尾兼顧，實在毫不簡單。她以苦難與生命為主題，創作了不同篇章，從日常生活的觀察和所經歷的大小事剖白人生觀，從中煉就生命之光，進而領略如何以愛面對苦難，成為生命中不可或缺的成長歷程。

我們特別向本屆計劃七位導師：黃怡女士、林志超先生、李維怡女士、李日康先生、羅樂敏女士、葉秋弦女士以及陳子謙先生致謝。他們悉心為學員提供專業指導，亦樂於與其進行深度交流，充實寫作之路。

我盼望本書能為各位讀者在成長的夜路中帶來光點，使愛成為迎向挑戰的光劍。

何永昌先生，MH
香港青年協會總幹事
2023 年 7 月

自序

寫作對我而言是一種表達生命的途徑，是靈魂與世界的溝通。即便是在對萬物感到迷茫的年紀，我也可以不帶絲毫猶豫地肯定自己對寫作的熱愛。故此在聽說這個比賽的那一刹那，我就立刻報名了。

我會說寫作的過程是深刻而複雜的。要真正寫好一本書，要從心底抽出真摯的情感，用真誠的文字描繪——這是一個極其累的過程。即便是因爲感受到情感的衝擊而奮起書寫，對待寫作的我也嘗試像演員出戲一般，嘗試不要過分放大自己作品裡的情緒，以免過分影響自己的日常生活。

能出版一本書，實在是我做夢也不敢想的事情。天知道我收到獲獎消息的時候有多開心——我抱著離我最近的朋友在人行道上蹦著跳了一大圈。在此鄭

重感謝各機構、各位評審、編輯，不厭其煩地一遍遍閱讀我的篇章，以溫柔的語句協助本書的校對與出版事宜。由衷地感謝你們，讓我在出書的整個過程感受到諸多溫暖與溫馨，像一群朋友一同朝美好的目標努力一般，氣氛不能更舒服了。

寫作或許會為我帶來困難或疲倦，但我一定不會放棄我的熱愛——對生命的訴說。希望閱讀這本書的你能感受到我豐厚的情感，也希望這本書能為大家的人生帶來一點共鳴與啓發。文字將素未謀面的彼此的心靈連接，這便是寫作的魅力。

陳佳穎

第四屆「校園作家大招募計劃」非小說組冠軍

2023 年 7 月

摯友序

得知佳穎獲得非小說組的冠軍後，我一點也不覺得驚訝，因為我知道，只要她能完成這本書，她就一定能奪冠。

然而，我對於她能完成這本書的創作感到驚喜，甚至帶點欣慰。

我與佳穎的友誼說長不長，說短不短；但三年之久，足以讓我們成為彼此的知音。我與佳穎相識於中二，那年是她心態最放鬆，煩心事最少的一年。但是，踏入高中，學業及各種身分帶來的壓力蜂擁而至，她曾經的障礙和疤痕也因此被無限放大，成為划過她臉龐的點點淚珠。淚水滴到她的創作上，阻礙了她創作的路途——她開始因各種各樣的原因，如心理上的障礙、他人的意見等等，而萌生放棄創作這本書的念頭。

我沒有怪她，因為我知道，要割開那些深入骨髓的傷痕，解剖自己那已被受傷害的心，只為完成一本散文集，實在不容易。

也正因如此，當我看到佳穎因受到評審鼓舞而重啟這本散文集的創作時，我比任何人都還要興奮，比任何人都還要期待。但是，創作的過程並不容

易——我看著佳穎進出學校輔導師的房間無數次，聽著她說寫得很累無數遍，望著她與我並肩創作時皺起的眉頭；這本書定是她嘔心瀝血之作。因此，當我得知她成功完成這本作品時，我心中感到無比振奮與欣慰，因為她不只是完成了一個作品，更是直面了曾經的傷痕。

看著佳穎從那個單純的孩子，變成如今雖傷痕累累，卻依然努力的女孩；我知道，她成功了。她成功戰勝過去的自己，成功面對滿身傷疤的自己，成功為自己揭開新的篇章。雖然如今仍有她未能越過的深淵，雖然直到現在那些傷疤仍刺痛著她，雖然在每個午夜夢迴之時，她仍會為那些傷痛而哭泣；但這本書的誕生告訴了我：她走過了那一切，也將能走過這一切。

摯友黎欣瞳
第四屆「校園作家大招募計劃」小說組冠軍
2023 年 7 月

前言

值得思考的一個問題是：生命的魅力永遠是像應試文章裡寫的那樣大起小落麼？美麗永遠只能透過正面的描述去呈現麼？有人問我為何要透過負面的描寫去抒發對生命的熱愛，我的回答是：「我沒有辦法為了條條框框去寫我不相信、不想寫或不夠熱誠去寫的事情——難道這世界上會只有毫無曲折的美麗嗎？我知道如果我隱瞞美麗中所存的苦難，我將甚麼也寫不出來。」

寫這本書的時候，我時常感到不安。不安，因為我作為一個同樣受痛苦控制的人居然嘗試解析苦難；不安，因為擔心他人批判我自視甚高。在整個寫作的過程我無可避免地被拽回回憶裡，或者逼著自己一直走向我曾刻意迴避的內心深處。這本書不只是我與世界對話，更是我與我自己對話。整個過程像一場自我治療的旅途，是痛苦也是快樂的。我始終記得自己想講述的是愛

的故事、美的故事。我相信苦與樂的不可劃分，從苦難中綻放出真善美的魅力。即便生活很苦，也不能否定光的存在。這些字句對我而言是最真實、最珍貴的。若躲不過生命的困境，或許坦誠面對，而從中獲得感慨，可以讓我們挖到泥石堆裡最閃耀的寶石。

書寫的整個過程，我都錯覺自己躺在解剖台上。就讓我的靈魂解剖我的肉體，就像假裝沒有觀眾在看那般解剖我的肉體，不要怯場。我寫這本書，盡量不去想會獲得甚麼評價。只要有人讀，就再好一點；能從中取出甚麼感悟來耕種自己的生活，那就再好不過了。

第 一 章

起始之都

人間太苦啦，我要去跳崖？

揀一個風和日麗的日子，

一座面朝大海的高山，

在天地的掩護之下，縱身跳下？

崖歌

人的苦難有很多種。

它可以是一塊失手摔碎在水泥地上的餅乾，可以是深夜照亮習作的微弱的燈光，可以是為水電費發愁的眉毛，可以是家破人亡的哀嚎。如果說生命是一個大鐘，苦難則是大鐘敲響時的震動。苦難和生命本就纏在一起、融為一體，誰也分不開誰。

對我來說，高一那年的苦難在於過多的工作、過多的自我懷疑和人際關係的僵持。它像慢性毒藥一樣慢慢、慢慢地滲進我的骨頭裡，為我的背脊拴上一口黏膩的泥潭。每天早上，我拖著這口泥潭費力地爬回教室，又在太陽徹底離開我之後費力地爬回家。如此反覆，生活也這樣過著。

我身邊的同學也大多背著泥潭。費勁地來，費勁地去。頭頂的燈黃得像死魚霧濛濛的眼睛，塑膠桌腳是最沒有美感的藍色。我們在糜爛的空氣裡聚集，軟了雙腿，開始嘰嘰喳喳地吐起苦水。它們酸臭而濃稠，似乎和頹唐的生活渾然一體。我不必多贅述這灘苦水，反正每個人的苦難都不可能全然一樣，也不必將其開膛破肚地任由他人評價而落得無病呻吟的下場。

不知是誰滑著手機，滑到了個介紹懸崖的帖子。「你們看，這個地方叫『自殺崖』，離我們也不遠的，找一天我們一起去吧！」大伙兒興奮起來，踴躍回應著，彷彿突然迴光反照。「去了，然後直接跳下去，一秒都不想待了。」「咱們都是好兄弟，跳崖可不能不拉上我！」

說真的，我們一伙兒人，不可能不知道對方只是說著玩兒的——也就是俗稱的「口嗨」。於是我們一有空就「口嗨」，一疲倦就「口嗨」，所有情緒的發洩都堆砌在跳崖上。這樣算下來，一天倒也要跳好幾次崖。

言行能潛移默化地改變思想——你可能以為我神經質了，真的想去跳一跳崖？不，不。我是在我那一群滿嘴仇視教育制度、喃喃著世界末日將要來臨的同學中看到了生命的跳動。她們看似厭世至極，疲憊得快要崩塌。厭世至極，卻「口嫌體正直」地認真做好自己的工作，矢志不移、永不言棄。他們罵罵咧咧地張開雙臂迎接風雨，以「你欠我五百萬」的臭臉誠摯地擁抱陽光。她們看似灰頭土臉，卻在心底為世界留了一片最柔軟的土地。其實你只要看一看她們的眼睛，你就明白了。真正想要去

跳崖的人是不會有這種眼神的，那種對活著的期盼哪怕再矇矓、再暗淡，也絕不會消失隱去，它活在她們眼裡像是普羅米修斯的火種。我的同學們可愛，實在可愛。

我可愛的同學們，她們以最難聽的抱怨宣洩對世界最淳樸的愛意，她們以最惡毒的詛咒傳遞最美妙的祝福，她們以這種方式接受苦難、感受希望，像蹬三輪一樣，蹬著生命與苦樂在崎嶇的道路上跌跌撞撞地前行。當她們提起跳崖，是跳進生命的期盼裡去。

所以，我們去跳崖吧。揀一個風和日麗的日子，一座面朝大海的高山。天藍進我的心底，白雲低得像是能走上去，陽光為海面鋪上閃爍的魚鱗。我們手牽著手，唱起童謠的旋律，或許我們五音不全，但我們心存感激。三、二、一，我們邁開腿助跑，青春從未顯得如此有活力。在懸崖的邊緣我們腳板發力，齊刷刷地蹬出去。那一刻時間靜止，陽光澆在我們臉上像教堂裡神聖的洗禮……我們掉下去，掉下懸崖去，抱著苦難掉進希望裡去。

這會是生命與我們互相成就的愛意。

第 二 章

天地

靈魂逃出肉體，化作一隻海鷗。

飛吧！我們觸摸雲霞。

天藍色的天穹，靛藍色的山；

橘紅色的彩霞，紫檀色的海。

跑吧，跳吧，濺起雪花，

結冰的湖面它凍住了駿馬；

叫吧，笑吧，浪跡天涯，

滿林的紅葉它埋葬了盛夏。

海

我沒有辦法不愛海。

從小我便認定海有魔力。具體是甚麼魔力我不知道,但絕對有魔力。是一種你可以
看到、可以聽到、可以聞到的魔力。

小的時候,我家離海邊很近。只出了社區門往左拐,走上個幾分鐘就到了。那一片
海在環島路旁邊,一排結實的棕櫚樹將黝黑的馬路和通往大海的黃綠色草坪撥分開
來。文明與自然,在象徵熱帶的結界的兩端對望。小小的我頂著一頭鳥窩般的短
髮,踏著小涼鞋,啪嗒啪嗒地從冒著熱氣的大馬路上一腳跨到涼颼颼又微微扎腿的
大草坪裡。文明與自然這兩個深沉的巨人,像沉默的獅身人面像,默默地看著小不
點無憂無慮地在它們之間穿梭。

我到海灘去幹嘛呢?無非就是踩踩海浪,撿撿貝殼,堆堆沙子。有一回,爸爸在海
灘上撿來一把柄部粗長的好鏟子,就在近海平面的位置挖起坑來。「妹呀,你看這
片沙灘是從海裡面這樣子斜上去的,它的水平線就會愈來愈高。」爸爸摟著我的肩
膀,對著大海和沙灘比劃著,「所以只要你刨開沙子往下挖,一直挖到和海面同一
個水平線的深度……」他親手示範著,用塑膠鏟像挖布丁一樣挖出沉甸甸的濕沙
塊,直到某個瞬間,坑底湧出一小窪清澈。「你就挖到水了。」我看著,覺得新奇,

便學著爸爸的樣子，在他的水坑旁邊全神貫注地挖起來。「挖出來的泥沙不要亂丟 ──」爸爸說，「你把它們圍在坑的前面，摁結實來，築成一堵圍牆，這樣潮水來了也不怕它沖掉你的池塘。」我便照做，把像水泥一樣的濕沙堆到坑前拍拍打打。就這樣，我的池塘愈深，海水就湧得愈多，堆的泥沙也就愈厚，我的堡壘也就愈堅固。那一汪水積在那裡，浸著粗糙的沙子和它們金黃的顏色，彷彿真的浸滿金子。

我粉嫩的小手探進水裡撥弄金沙，任由他們在掌心被水波的張力推著滾動翻落，加冕一般為我的手掌塗滿金粉。我像一個無知的淘金者，以清澈的雙眼與同樣清澈的海水對望。人類與自然，也如此清澈地連接起來。

海會生長，也會回落，在潮汐漲退之間親吻大地。海愛撫沙就像是要將其吞進血脈裡，於是海在我晶亮的眼前活潑而洶湧地前奔，以嘩啦啦的腳步聲宣洩其浩蕩的來臨。它就這樣來了，勢不可擋地來了，晶瑩的浪花吞沒我的小水坑，像母親將自己的孩兒接回去。在那一刹那海抹去了水坑，也一併抹去沒有盡頭的金色沙地上的所有痕跡，海以其蘊藏的魔力修復一切，彷彿所有的造化與變卦從未出現。我呆立在原地，要在很多年後才會意識到自己目睹了自然的奇跡，我目瞪口呆地望著本來插在水坑裡的腳丫子緊緊埋進柔軟的沙地，也只剩柔軟的沙地。我驚呼道：「爸爸，我的小水坑沒有啦！」

我為消失的水坑感到惋惜——它是多麼水靈的一個小水坑呀！爸爸不以為然：「漲潮了就自然被水沖掉了嘛，難不成你想要它留一輩子嗎？不可能的。沒了就沒了，你下次再挖一個就是了。」我覺得他說得頗有道理，便不再為水坑而歎息。日後每一次與海相遇，我都興致勃勃地挖一個水坑，把四周的圍牆修得又厚又牢——反正海遲早也要接走它們，我盡己所能與海周旋。海它那麼慷慨，一定也會像接納孩子一樣接納我的任性吧。

後來，我來到了現在身處的這座城市。這裡的海更加透徹、更加碧藍，養育更多的奇異生命又更加美麗。我對它深深地著了迷，有事沒事便在海灘上蹦來蹦去。漸漸地，海在我心中佔據一片獨特之地。我會跳進清涼的海水裡感受海浪洶湧的衝擊，

感受海的力量和呼吸；我會將雙腳深深地裹進結實的濕沙裡，感受脈搏跳動那強烈的撞擊。我將自己的名字大大地寫在沙灘的背脊上，像是給海刺青。我的一部分靈魂深深地生在海裡，生根落地。我感受到海的脈搏與心跳，躁動與呼吸。海是活的，從我出生以前到我死去以後它依舊活著，它活得那麼那麼鮮明，又那麼那麼熱烈，我連結著海像是連結著我自己──又或者說，我生來就屬於海裡。

海的兒女不幸與海分離。不知從何時開始，愈來愈滿的日程本佔據了我的周末，雜亂紛飛的試題鋪滿了我的桌面，它們在漸漸隔絕我與海的聯繫。而後疫情蔓延，我更是受困於家中，不得分毫看海的機會，如此苦悶的時光也在潛移默化中糊化我對海的記憶，將它困在又厚又冰冷的毛玻璃裡。我將海忘記了，而這種忘記一直延續到疫情好轉，我仍沒有再想起海。

朋友們拉上我去逛街，在繁華的商業大樓的肚子裡穿梭。那可真是個不愉快的地方：人太多了，空氣太渾濁了，嵌在天花板上五顏六色的燈將人的眼睛抓瞎──總透露著一種亂七八糟的感覺。眼花繚亂的玻璃櫥窗，交錯雜亂的打光，叫我甚至難以分辨虛幻與真實。天花板太低了，地板太滑了，一個往上提一個向下壓，快要將我的胸腔擠碎。我在這裡，不再知曉自己是誰，也不再知道自己的思緒，像一隻無頭蒼蠅一樣跟在朋友們的屁股後面，逐漸被鬱悶堆砌。「你真的不適合來這裡。」伙伴們說，「你連活力也沒有了。」

走在我左側的是我交好的同伴，我們常從一天的早飯聊到人生哲理。有時我甚至覺得就算給我們一千零一個夜晚，還是談不夠的。她與我一樣，待在精貴的大商場裡就覺得渾身發癢。我們走在人群的最後頭，沉浸在我們的世界裡，有一搭沒一搭地

聊著天。

「聽說廈門的海很好看。」她突然來了這麼一句。

「啊？」我被繞得摸不著頭腦。

「就環島路旁邊的海，『小紅書』上拍得可好看了，那些椰子樹看上去就很清新……」

我極為短暫地陷入了沉默。在這極為短暫的沉默裡我經歷了劇烈的情感。我不忍心告訴她環島路旁邊的海似乎不如香港的任何一片海清澈，也不忍心糾正她所謂的「椰子樹」其實是棕櫚樹。可她的話像滴溜溜的泉水，滴在我冰封的記憶上似乎化開一個細長的小洞。順著小洞窺探過去，我看到那片一望無際的大海，和在海灘上髮如鳥窩、費力挖著水坑的，小小、小小的我。那個遙遠的我在偌大的海灘上化為極小的一個黑點，被海溫柔地呵護著，彷彿不論是多麼兇猛的黑夜或是多麼鑽心的詛咒都不會傷我分毫。我被金沙藍海粉飾著、照看著，逐漸和海融為一體。

噢，天哪，我究竟忘記了甚麼呢？我怎麼會在這裡呢？海的兒女，卻怎麼離海那麼那麼遠呢？

我必須要回去，一定一定要回去，不管是今天或是甚麼時候，我要回去，愈快愈好。我的靈魂，它不能被我孤零零地遺留在冰冷的海底；我的肉體，它不能被困於石屎

之地。這裡沒有棕櫚，沒有草地，沒有細沙，沒有大海，所以我不屬於這裡，不適合這裡，我不能任由自己迷茫沉睡在繁榮而枯燥的世界裡，任由它吐著毒信子吸乾自己的靈氣。讓那個挖水坑的淘金女孩消散，海不允許。

有一股強而閃爍的力量順著脊梁灌進我的身體，一瞬間我精神四溢。我的眼神變得清明，逐漸看清友人額頭的碎髮。穿透她的髮絲我看到遙遠的海，它被陽光鋪上淺蔥色的碎花裙，閃閃亮亮地鋪成一條路讓我回去。海，我永恆的母親，她又一次將我拉起，重新賦予我生命。我的心臟跳得多麼平穩有力，那同時也是大海的心跳。

於是結束了不足一秒的醒悟之旅的我笑了，順了順友人毛茸茸的瀏海。「是的，海有魔力，要不我帶你去？」

川西遊記四則

4月2日

海拔近四千米的康定木格措風景區是一片與時代隔絕的地方。準確地說，自穿越二郎山隧道進入藏區的那一刻起，我就不再身處我以為我身處的時空了。

木格措的山——藏區的山——巨大、雄偉、壯麗。他們太大了，大得讓我忘卻一切語言措辭，大得超出了我兩隻大眼睛視野的邊界。他們不僅大，且空悠深沉。連綿不絕的大山此起彼伏，面上長出黑綠提拔的雪松，也有淺淺的軍綠色植被，枝葉細小，均裹著一層灰白色的茸毛像接住了初雪。近乎山腳的地方有紅褐色的矮灌木，也甚稀疏。山上岩石很多，棕色、土黃或灰色的碎石堆傾斜地構成山的肢體，甚至有山崩地裂所造成的斷層與懸崖。怪石嶙峋，山崖陡峭，彰顯藏區乾燥險峻的奇特地貌。前人在寸步難行的巨山中費力尋找一條較為平坦的道，修建一條公路；我們在木格措的公路上行走，被山群毫不費力地吞噬消失。清冷的空氣，開闊的視野，山中裊無人煙，我像是走回幾千年前，小得消失在群山中。

在交錯的山與山之間，會見到木格措的三座雪山：雅拉、蓮花和貢嘎。每一座雪山都是藏民心中的一座神山。在曲折的公路中，在群山貼著灰藍的天空交錯起伏發出空靈迴響之時，它們豁然開朗地顯現在你的眼前。雅拉與蓮花像連體嬰一般接在一起，尖銳的雙峰被各種深綠色堆積而成的大山中凸顯。貢嘎雪山形狀不如前兩座那般尖銳，卻高得讓人啞然。它們在一片以黑藍、靛藍、墨綠與紫檀色的寬敞池水上像一條龍一樣翻騰而過，皚皚白雪之下是灰黑、咖啡與藍灰色混搭而成的土壤和岩

石。雪無規則地散落成曲折的形狀，極致的色彩反差與碩大的體型給我帶來非凡的視覺衝擊。

環顧四周，一切盡是山。山就是世界，世界就是山。視野很寬敞，可以一直遠拉到天的盡頭——山長得太聰明，為我讓出一條藏族的路，窺探生命的廣大。當我一步三回頭地下山，貢嘎雪山沉默地屹立在我背後。無論我走出多遠，貢嘎都似乎沒有變小過——甚至在充滿離心力的拐彎中顯得更大了。我看著它，每一次回首都被震撼到。它在安靜的蒼穹下顯得格外祥和、純潔、虔誠。它似乎有一種藏族的魔力，望到它的那一刻我感覺被賜福。它偉大得可以使無神論者相信這個世界上真的有神，而我看到的山神披著五彩的流蘇，搖晃銀鈴來超度我。

坐上旅遊巴的時候，我問姐姐，你會如何形容這叫人歎為觀止的山的廣闊雄大呢？她深思一會兒。「我想人的孤獨恐怕只有雪山能懂得。」她說。那一刻我覺得我可以消失在木格措山群的懷抱中，孤寂而豁達。

4 月 3 日

今天一整天都活動在約莫三千多米海拔的範圍，出現了微弱的高原反應，偶爾頭暈、胸悶、嗜睡等。必要時還是會吸幾口氧。

早上天氣好，駕車往折多山開，沿途天地開闊，山脈延綿，盡顯川西地貌雄奇。「看過藏區的山，甚麼黃山呀，泰山呀，都是弟弟。」有個司機跟我們說。

折多山位於海拔四千兩百米往上，顧名思義道路多折多彎。最遠的頂端是上不去的，我們選擇往一座掛滿經幡的四角錐棚式建築物爬。險峻的山鋪滿白雪，中間砌

一條深黑石樓梯，筆直地從雪山中間剖開。階梯兩邊長長的木頭欄杆上纏滿五彩斑斕的經幡：澄黃、大紅、青綠、靛藍。一大捆一大捆地紮著，鋪天蓋地的。大風呼呼地吹，經幡舞動起來像奔騰的七彩龍。布發出厚實的噗噗聲，像大翅膀拍動。

石階上的積雪還未完全融化，留下許多薄冰、雪堆和雪水。走路要分外小心，不單是因為高山反應，更是為了防止一腳踩到冰上滑倒。積雪實在太多而擋住前進的道路，我們將厚厚的經幡撥起，從一片五顏六色下鑽過去，跨過乾燥的木欄杆，真正地走到折多山的身上去。阿里告訴我們，經幡是不能跨或踐踏的，只能屈身鑽過以表尊敬。

雪山上爬滿深色的苔蘚，土壤與雪水混在一起，表面布滿泥濘，露出扁平的、多稜角的碎石與枯黃的乾草、草根。我們緩緩地向上爬行，左側就是陡峭的山壁與開闊的藍天。放眼望去，山脈構成一幅畫，彷彿助跑幾步跳出去，就可以一頭扎進無盡的天裡。山頂時不時有印滿經文的紙片飄落，單薄得像蟬翼，是作祈福、求平安用途的。它們被風擄走，熱烈地旋轉、跳舞，飛到遠方去，像電影裡花海中有魔力的花之精靈。它們飛下幾千米的海拔，飛向天邊起伏的藍山，祝福鋪滿整個世界。我的靈魂在折多山上感受到一個民族最濃厚的宗教色彩的美。

往塔公草原的路上聽爸爸講天文地理。他說西藏獨特的地貌是印度板塊和歐亞板塊擠壓而成的，形成幾千公里的山脈，從這裡一直不斷地連到印度。我無法形容自己的震撼，而震撼將緊隨我直到旅途結束。沿途我們見到身著僧侶衣服的人走在寒冷刺骨的公路上，手上套著拖鞋，三步一叩。阿里說他們要一直走到拉薩的布達拉宮去，是一輩子的旅途。我望著他們叩拜時整個身子伏爬到地上去，雙手有規律地做著動作，看到了信仰虔誠的力量。

塔公草原的草是荒涼的枯黃。新一輪生命的復蘇尚未造訪這片土地。草原遼闊，平平的草地背後有土黃的山。氂牛和馬兒或立或臥，低頭祥和地啃著乾草。藏區草原的地面像是由一個個長滿稀疏的草的小土坡組成，大概泳圈大小，踩下去具微弱的彈性與不符合其氣候的柔軟。「這裡遍地是牛糞，你們其實踩在牛糞上。」爸爸說。秋天時的塔公草原繁花盛放，美得忘卻呼吸。大人們總說：「秋天再來看，秋天再來看。」我倒覺得荒涼的塔公草原有荒涼的美。它荒涼得很美，它美得很荒涼。

驅車前往丹巴的路上有變幻的奇景。我們經過一個鋪滿積雪的大草坡。與其說是積雪，倒更像一層薄薄的、雪白的碎冰殼。將冰殼踩裂，積雪發出咯吱咯吱的聲響，像在用勺子碾壓餐廳裡清涼的甜品冰沙般解壓而清脆的聲音。薄雪下若隱若現的棕黑色泥土，用腳踢開便像揭了頭紗的新娘子一般露出臉來。這令我想起《小鹿斑比》裡斑比和母親用蹄子砲開冰殼啃食嫩草根的畫面。草原太大而人太小，人走在白雪上形如螻蟻——這並不是誇張，人甚至比螻蟻還要小，小成一粒沙子。實話實說，當目睹這巨大反差時我被嚇到了。

我們駛近深幽的山谷，左右山脈將我們緊緊夾在狹窄的公路上，真真應了李白那首詩裡的「山從人面起，雲傍馬頭生。」山石嶙峋怪誕，七扭八歪，斷崖峭壁四處可見。漸漸地，爬到半山腰了，右側車窗外面深不見底的峽谷讓我總以為自己要摔下去，粉身碎骨。又見山，橫看成嶺側成峰，或有過之而無不及？

客棧旅館有濃厚的藏族色彩。客棧呈一個「山」字，前院有一桃一梨，滿樹粉與白。樹下拴著一頭牛，悠哉地搖著尾巴。客棧華麗得很神秘，正門有兩根粗大的「金龍繞柱」，樓層塗上藏青、正紅與象牙白的漆，伴隨金黃色的藤蔓塗鴉環繞，鮮豔得像是活過來。頂樓的天台飄著一大片旗幟，宣示著藏族的信仰。來到此處，四處環

山，空氣清幽靜謐，連廁所水也是用的山泉水。某種程度上，我與世隔絕，來到一種世外桃源。

4月4日

在民宿一直待到下午。早餐是鮮擠的水牛奶、純手工的玉米餅與包子、雜米粥和酥油茶。水牛奶帶著甜味，比普通超市賣的要好喝許多。餅和包子有粗糧的純味，宜伴著榨菜花生一起吃。酥油茶的樣子和普通奶茶沒有太大的區別，聞起來有淡淡的好立克香味，喝起來鹹鹹的，混雜著茶的味道，還是挺奇特的。阿里說，喝了酥油茶，一整天也不覺得餓。

花了兩個小時在民宿附近四處遊蕩。山上有梨花，大部分都落了，剩一些在高海拔的陰面的山上還盛放著。梨花雪白，花瓣薄而柔軟，聚在近乎黑色的樹幹上，顯得冷清疏離。梨花真像不食人間煙火的江南女子，冰清玉潔，被瓷色的天和遠處朦朧的雪山襯著，美得像一塊宋代瓷碟。我看著梨花，真能直接地感受到雪梨的清甜爽口，飽滿多汁。

臨走前在民宿用過午飯，坐在陽台上欣賞山景。開闊的視野望不到邊際，崛起的群山在我眼前猶如展開的捲簾畫。離開前和老闆合照留念，她親切地送我們離開。「香港的幸福指數很高吧？」她問。我只笑笑。「這邊的人開心嗎？」我問。「開心，雖然生活不算太富裕，但人民是無憂無慮的。」有梨花、有泉水、有和藹可親的鄰舍……這裡太適合隱居了。

一路驅車下山，每過一個觀景區便停下來欣賞丹巴雄偉的山貌與藏寨。山是一層一層疊上去，又一層一層疊下來的。藏寨的每個寨屋隔得開開的，四周有層層疊疊

的田地和油菜花田，開開地坐落在緩坡上。整座山就像一條巨型的滑滑梯，可以順著山頂溜溜地滑下去。緩坡正對著更為傾斜的壯闊山壁，那裡更為險峻，幾乎是不可能住人的。然而偏偏就在懸崖峭壁上住著人，白色的寨屋嵌在淺綠色的樹叢中，大概沒有車能開上去——我甚至認為那裡是怎麼都上不去的。山壁有許多塌方的跡象，可以看到巨石崩落的痕跡，壯闊得讓人忘卻呼吸。著龍袍的皇帝揮著衣袖，手撫過眼前每一座山與土地，說著：「這些都是朕打下的江山。」我此刻更能理解這種自豪。

驅車開到偏僻的地方，那裡立著一座千年古碉樓。據說是藏民為抵抗土匪築成的。清兵以前攻打藏族，花了幾十年攻克碉樓。碉樓砌在凹凸不平的石堆上，樓身是用大大小小的石頭築成的，整體基調為棕灰色，上半身已經塌掉了。順著大石頭爬至碉樓入口，木門已經被侵蝕了，鐵鏈也生鏽彎曲了，透過半開的門往裡面窺探，雜草叢生，蛛網纏成白色的一大團。到處都是散落的木頭，門後還有沾滿灰塵的一個深藍色器皿。歲月似乎已經抹平戰爭的痕跡，一切在陽光下顯得祥和又滄桑。

前往四姑娘山的兩個多小時車程，渺小的我們行駛在大峽谷之中，兩旁是山崩地裂造就的奇觀。近距離地感受生死所綻放的震撼之景，或許也是生命的奧妙。

4月6日

遊記中4月5日的記錄空缺了，因我腸胃炎又犯了。兩天高燒，腸胃痙攣得厲害，下不來床。今天稍微好轉一點，硬撐著去四姑娘山的5A觀景區溜達一圈。剛下過一場大雪，四姑娘山景區的一切都變得白茫茫的，像地母披了一件白袈裟。一切就像水墨畫一樣，那些層層疊疊的岩石峭壁，是屬於詩詞中的美。

從終點站下來，三百六十度全是崛起的山林。我們走到偏僻的木棧道上，被森林環繞。雪松群擎天而立，清冷得像君子。大雪覆蓋一切，冷杉葉上厚厚的積雪像一層飽滿的糖霜。這裡美得不像人間。

木棧道上的積雪約有二三十厘米深，一步一個腳印，腳陷進雪裡發出「咯吱咯吱」的聲響。雪很鬆軟，抓一把像在抓棉花。把空氣擠掉，將雪壓縮，在地上滾成臉盤大的雪球。冷杉後面是壯大的雪山，上頭的雪像棉絮又像糖粉。儘管我每走一步陷進雪中腸胃都會痙攣一陣，可這裡實在美得像童話，即使再苦也不枉此行。爸爸給我找來一根樹枝當拐杖，它戳進積雪再拔出來的觸感像在戳彈性滿滿的白糖糕。

下午，阿里載我們上觀景台欣賞巴朗山的雪峰。經過一個個拐彎，綿綿雪峰赫然立在眼前。雪山延綿不斷，山貌雄奇，雄偉壯麗，且觸手可及。就是那麼近，近得你無法想像，近得你彷彿一抬腳就能吻到潔白的雪峰。從前我讀類似的文字，以為自己真的明白其中的含義，直到今天被巴朗山的勝景塞個滿懷，才真正明白究竟甚麼是「近在眼前」。巴朗山再一次刷新了我對山的理解。目睹過這座山、這片景，我此行無憾了。

遠一點的山脈的被綿密的雲圍繞住，只剩下凸起的群峰。雲層是怎麼做到同時給人厚重且虛無縹緲的感覺呢？它慢慢地在山間流動、翻滾，從低處向上爬，給我一種小時候將眼睛放在沸騰的熱水壺上，奶白的蒸氣全糊臉上的感覺。那些雲像巨大的蒸氣一樣在我眼前向上不斷蒸發，彷彿在往我臉上呼巴掌，要將我、阿里的車，與我們所處的整座山吞噬殆盡。

一座離我最近的雪峰上一大團白雲纏繞，波濤洶湧，向下緩緩滾動，愈滾愈快。阿里說那是雲瀑，即雲像瀑布一樣飛瀉下來——當然，或許不像瀑布那麼快，但絕對比我見過所有的瀑布都要壯觀。雲瀑，這名字起得真好。它浩浩盪盪地攀下來，宛如瀑布流水一般流下來，像雪崩一樣與山腰如急流江水一般的雲會合。令我想起「黃河遠上白雲間，一片孤城萬仞山」、「飛流直下三千尺，疑是銀河落九天」、「滾滾長江東逝水，浪花淘盡英雄」。啊，人與自然，文化與自然，藝術與自然，終究是不可分割。

只幾分鐘的時間，山嶽被完全覆蓋住，我們眼前只剩一片霧濛濛的白，甚麼也看不見。我被徹底帶到虛無之中。阿里載我們往上再開個幾百米，開闊的山景又展現在我們眼前了。巴朗山勝景便是：每個角度各有不同，各顯神通。這裡的雲摟著雪山呈一片雲海，我像《西遊記》裡在天宮飄移、仙氣飄飄的神仙。這是舞台劇裡用再多乾冰也達不到的終極效果。我有一種伸出腳就能踏到遼闊鬆軟的雲上的錯覺，畢竟它廣闊得像大江大地。一腳踩到雲海裡踏空而墜，不比撈月而溺於井中來得浪漫？

因生病的緣故，爸爸也不邀我下車，最終短短下去了幾分鐘。天氣給冷的呀！將我的肺部也要凍住了。風呼嘯地吹，我無法呼吸。才下去沒多久，身子便扛不住，急忙鑽回暖和的車裡。阿里想飛無人機，一飛上去螺旋槳立刻就結冰了。阿里說崖頂更美，我卻實在沒精力上去了。也罷，人生總要留些遺憾。我坐在山腰看巴朗山上雲海變化無窮，此刻人生已經很圓滿了。

鐘樓

我有三瓣靈魂。一瓣落在繁華的香港,一瓣落在清寧的南安,一瓣落在明媚的廈門。廈門在我心中,是一棟高聳鐘樓的形象。它立於我家的廣場中央,四角錐體狀的紅瓦屋頂直直地捅進天裡。自我記事起,不曾見過任何人走進鐘樓,也不曾聽到過鐘樓裡傳出的任何聲響。或許在頂樓處,鏽跡斑斑的黑雕花欄杆後面,鐘樓早就永久地上了鎖;又或許鐘樓裡頭壓根兒就沒有鐘,所謂鐘樓只是我對這棟西式童話般的建築的一個美好幻想。可每當我望向它,都像在看一個神秘的巨人。我總是願意相信那是一座鐘樓,而倘若有鐘聲敲響,那會是空靈而震撼的聲音,彼時會有白鷺乘著金色的風與青色的雲,翩翩地被鐘樓召喚歸來。

鐘樓像是一個座標,標記著所有賦予我快樂的地方。受鐘樓庇護的每一寸土地、每一棵綠樹,都承載著我透徹的童年。我最初的生命始於鐘樓以下。每日晨起,從大陽台往外眺望,鐘樓總是迎著晨曦與薄雲,順理成章地成為我矇矓眼眶中第一道明艷的色彩。我上學去,走在瓷磚鋪陳的斑駁小路上,鐘樓站在我的右側。我上街去,行於寬敞硬朗的水泥地上,鐘樓立於我的左側。我去網球場拾掉落的黑蟬,鐘樓在我前方;我到賣馬蹄的巷子裡理頭髮,鐘樓到我後面去了。我踏著涼鞋摘下羊蹄甲的葉子折成兔子模樣,在廣場二樓的圈形走廊騎滑板與兩輪自行車——每時每刻,鐘樓總是出現在我視線以內。我走過一禎又一禎變換的影像,其中重疊的是鐘樓慈祥安寧的垂眸俯視。

我似乎從沒有想過鐘樓為甚麼出現，而若其不再會有鐘聲敲響，又為何屹立於此。我從不知道鐘樓的名字，又把它的存在當成眾所皆知的事實。直到後來我才發現，我對照看我十幾載的鐘樓竟一無所知。是鐘樓與其之下的土地為我嶄新的軀殼添上第一層繽紛，太渺小的我樂在其中而不曾察覺。鐘樓以下的世界在年復一年地漸漸翻新著，唯獨鐘樓從未改變分毫。那使我產生一種錯覺，認為鐘樓會理所應當地會一直留於此地。我重視它，卻從未認真地正眼望過它。

後來我被送走，在意氣風發的年紀我拘留於他鄉。並非說不好，但總有些落寞的時候。我適應新的環境、新的空氣，卻再見不到像鐘樓那般溫煦挺拔、一手遮天的存在。很經常地，我會想起它。想起它米黃的樓身、紅瓦的屋頂、內部旋轉著往上的白樓梯和鐵鏽的雕花欄杆窗。我像蒲公英吹散時揚起的一粒種子，被鐘樓以下的風送離到遙遠的地方。鐘樓頂天立地地守望這座城市，慷慨地賜予我茁壯成長所需的一切，再像一個等待遊子歸來的母親一般深沉地目送我的離開。在看不見鐘樓的那些日子裡，我愈發意識到自己的平庸——我的鐘樓不是我的鐘樓。總出現在我生命裡的鐘樓不屬於我或我的世界，而是我與我的世界源於鐘樓。鐘樓是主，而我是次；這座溫馨的城市先是有鐘樓，後有我。鐘樓以下的世界，走過多少形形色色的人，而我不過是再不起眼的一個小點而已。受鐘樓庇護的我，自一開始就沒有權利漠視鐘樓。我突然有一種急迫的渴望，想好好看看那看顧我的鐘樓，真切地對曾經的不珍惜彌補致歉。我眼前的天空開闊而無限拉遠，將維多利亞港對面的樓宇收縮成淡薄透明的影子。親愛的鐘樓，或許就在那一片蔚藍的盡頭處吧。

幸得契機，我得以短暫地歸順鐘樓身邊。像流浪的孩子奔向母親，我整裝待發，披星戴月地奔向它。從計程車上下來，我重新踏足硬朗溫熱的土地，胸腔灌入熟悉的

青草味的空氣。觸目所及之處，不夜城綠樹盎然，萬裡無雲，像是歌唱著歡迎我的歸家。我拖著行李一路疾走，穿過爬滿藤蔓的白欄杆和灰白相間的大馬路，直到鐘樓一點點出現在我眼前。

可鐘樓它不一樣了。

我見它本為米黃色的身軀，被人染成工地頭盔的廉價黃色；本來窗口潔白的一圈白漆被刷成像被洗褪色了的黯淡紅色。它們是那麼不自然的、刻意的、欠缺美感的顏色。它扎眼地戳破了天空的和諧，像是被人硬塞在古典藝術館裡的一塊塑膠玩具。霎時我停住腳步，呆望著那棟不再熟悉的樓宇，啞了。

我感覺不到撕心裂肺的疼痛，也不如電視劇裡演的那樣陷入無盡的悲憤之中。我只是驚異於鐘樓的改變，更因其趁我離開之際悄然變化而感到悵然若失。我沉默地站著，注視著我不再熟悉的鐘樓，心想著：你怎麼連一聲招呼也不打，就變化了呢？我左看右看，實在無法適應鐘樓另類的樣子，也無法欺騙自己說，其實另類的鐘樓也很好看。其實現在想想，被人重塗的鐘樓長得其實也沒有那麼糟糕，只是我打從心裡不願意去接受和相信它的改變罷了。「鐘樓為甚麼重塗了呀？」我問爸爸。「哦，是管這一片的人想要改造一下我們這個小鎮，多吸引些遊客，所以就順便把鐘樓塗得鮮艷一點。可似乎改造到一半，就沒有再繼續了。」

接下來的好幾天，我總以空洞的眼神注視鐘樓──它畢竟還是鐘樓，無時無刻地闖進我的眼簾。我不善於排解自己的情緒，那淡淡的鬱悶便窩在我的心頭，一連好幾天也不離去。對於現在的鐘樓我始終有些嗔責，嗔責那些不解風情的粉刷匠，弄巧成拙地將鐘樓刷成現在這副模樣──任何一個有眼睛的人都不會覺得這是一個好主

意。我又感到傷感：這座城市的許多設施地盤已然隨著時間的推移而漸漸消失更改，我卻連最顯赫的鐘樓也留不住。那可是我堅信著會貫穿時間而久立的存在啊⋯⋯或許孩童時候的信念有時只是幻想吧。我彷彿丟失了一件最心愛的瑰寶，又無法質問將它帶走的人。

我當然無法質問。在過去的歲月裡，那段鐘樓仍以舊時模樣陪伴我的曚曨的時光裡，我又有幾次正眼瞧過它呢？在我屢次對其表達敬仰的時候，又有幾次是真心誠意的呢？鐘樓慷慨溫和地守望我，我卻鮮少真的注意到它。我嘴上說著的回應，不過是自欺欺人。當我真正學會了感謝與珍惜，親愛的鐘樓卻不再供我改過的機會了。那層醜陋的黃與紅，似乎見證了我單純的虛偽與悔恨。我有甚麼資格悲哀呢？鐘樓並沒有賦予自私的我這樣的權利。

「其實也沒啥。鐘樓還是以前的鐘樓，顏色不一樣了而已。」其實是的。忽略新刷的外殼，鐘樓的靈魂還是沒有變過。鐘樓始終是以前的那一座鐘樓。我可以換新衣服、剪新頭髮，為甚麼就不允許鐘樓換新造型──更何況只是大同小異的改變呢？收起你那副自我哀愁的嘴臉，趁鐘樓還在，應是好好愛它才對。這真是一個簡單的道理，我竟然現在才確切明白。那天下午陽光明媚，我抱著畫具蹲在陽台，仔仔細細地給鐘樓畫了一副風景畫。畫面中的鐘樓依舊是曾經那副簡樸祥和的樣子，高聳直立於一篇橘紅與綠蔭之中。在湛藍的天空裡頭，我加上一圈圈虛線形的金色聲波與幾支飛揚的白鷺，象徵著鐘樓在我心底敲響。

「咚⋯⋯咚⋯⋯咚⋯⋯」我彷彿真的聽到了那低沉而空靈的聲音，像是在撫慰我懺悔的靈魂。

第 三 章

屋簷之下

可曾告訴你們我深愛這一切？

叫海風替我與你們相擁。

說我愛你，快說我愛你！

卻懦弱地將溫情藏在心裡。

總有人默默地愛你，

在孤獨與寂靜的海底不求感激，

卻至死不渝地愛你。

姐 姐

姐姐說：「我認為媽媽沒有那麼愛我。」

我沒有動，沒有眨眼，只是看著她。從一開始我就在看她了。我只看她，也沒想些甚麼，我看著她。

「她不知道我多麼忙——似乎也覺得沒有必要知道。這很糟糕，不是麼？二十年了依舊沒有注意到，就是她的問題了吧。」

媽媽愛姐姐的。姐姐不在家的日子，那些冷冰冰的夜晚，不斷有呼嘯的風。冷極了，潮濕的冷，像蟲子歪歪扭扭鑽進你身體裡。「今天這樣冷，不知道姐姐被子夠不夠。」冷不丁的，媽媽會這樣說。我想起小時候媽媽說過，自己上大學住宿那會兒要背一大床厚實的、肥大的棉被，用繩子捆好，馱著回宿舍去。是外婆塞給她的——上海的冬天很冷。姐姐回宿舍的時候，媽媽也會給姐姐塞很多床被子。

或許媽媽不知道姐姐很忙——沒有人知道。姐姐從沒和我們說過學校的事情——又或許她說了，我們沒有聽見。這回我聽見了，姐姐很忙，備考一直讀到通宵。她二十歲生日前我得了新冠，也不能回家慶祝。她回來了一趟，為家裡人跑腿買麵包和酵母。我聽見她回來了，開大門的時候刺耳的拉扯聲。我不喜歡開門的聲音，我偷偷摸摸下樓買零食的時候總要開門，它也發出這種聲音。姐姐把東西放下，被媽媽趕跑了。姐姐問我在哪裡，姐姐說她也想吃麵包。「你要吃就自己去買啊。」外

頭窸窸窣窣的，似乎是媽媽在回答姐姐的同時，擦拭著她買回來的東西。姐姐似乎想進來，「你不要進來！這裡已經夠亂了。」隨後聲音小了下去，我也不刻意聽。我頭頂懸著一盞久未擦拭的黃白色的罩燈，就像一輪髒兮兮的月亮。

也就十幾秒的事情，媽媽下了逐客令。「你走啊，快走啊，再晚就趕不上地鐵了。」門關上了，姐姐走了。我還記得姐姐說過，她想來看我的。我去主人房上廁所，看見牆上掛著媽媽穿了十幾年的紫毛衣，它像是在嘆氣。

可姐姐對媽媽也就那樣，在互相愛著又嫌棄著的這一點她們是相像的。姐姐和媽媽，就像兩隻灰色的小鳥，粉白的爪用細線綁在一起，她們要一起飛，終究是要一起飛，偶爾有誰落得太後，就要被拖著走；有誰飛得太遠，腳踝就要被勒住。噢，

她們要一起飛，永遠也是要一起飛，穿過五彩斑斕的薄雲，似笑非笑也要一起飛。

「她不知道我生日不能回家很難過，我很注重節日和慶祝，這對我很重要。可她不知道，也從來沒有想過要知道。」這句話像一朵冰蓮花。姐姐說話的時候，冰蓮花開在窗戶上，離姐姐最遠的窗戶上，彷彿姐姐只是陳述自己情感的一個容器，她的悲喜似乎是離她很遙遠的、模糊的一團白霧。

我們在沉默中對望，沒有誰驚訝於甚麼，彷彿甚麼也不害怕，甚麼也不為所動，很順從地接受了所發生的一切。這個掉漆的屋簷下，在髒兮兮的月亮的映照下，有著一片深不見底的汪洋。海面像一塊布，在我和姐姐的雙手中展開。我們知道海面下藏著一隻鯨魚。一隻碩大而哀傷的鯨魚，我們在等牠剝開海面換氣，儘管水面上甚麼也看不出來。是安靜，伴隨著窗外施工的電鑽聲的絕對安靜，我們沒有故意安靜，面對對方我們從不刻意安靜。在灰白的平靜下，冰蓮花開得又大又白。

「妳有對媽媽說過嗎？」

「嗯……」姐姐轉動著眼珠子。「以前有嘗試溝通，可是她的態度太極端了，我跟她說不上話。」

「噢。」

42

或許我應該說點甚麼，那些客套的、安慰性的話。可我甚麼也沒說——姐姐分明就沒有不開心啊。她在笑著，似乎真的是一個釋懷而誠摯的笑容。那種感覺就像……姐姐的肚子裡有一顆小骰子，正好是黃色的哈哈笑正對著我。你知道骰子嗎——它有六個面，同時有六個面，或許你只看到其中的一面或者兩面，但它有同時存在的六個面。

我似乎看不懂她。我的姐姐，我似乎從未真正地了解過她。她在我眼前，又好像根本不在那裡。這十五年來我從未好好看過她，也是直到她上大學了我才注意到她不錯的異性緣。我從甚麼時侯意識到姐姐變得漂亮，就從甚麼時候意識到自己從始至終地從未接近過她。她似乎同時快樂並痛苦著，強大並脆弱著，有趣並深沉著。或許姐姐不是一隻小灰鳥，或許她是一隻白鴿，又或是一隻鸚鵡，又或是一隻孔雀……她甚麼都是，又甚麼都不是。姐姐溫柔地施捨自己的一塊切片讓我接住，而我在切片的反射中看到一點點其他的姐姐，千千萬萬的姐姐。

她從未在我身邊啊。

或許我應該有種落寞的感覺，可我實在是有太多情感了，我的骰子已經不只有六個面了。可我又不是骰子，沒辦法像骰子那樣切割那許多面紅紅綠綠，於是他們融在一起，像個漩渦。當所有東西都攪在一起，那就甚麼也不是了，化成朦朧的、混濁的、複雜的一灘水。我看著我的姐姐——我弄不懂我的姐姐，也弄不懂我自己。我很平靜，或許是假的平靜，又或許真的很平靜，要麼就是混沌得只剩平靜了。

我還看她，實在詞窮。我無話可說，對於遙遠又神秘的白蓮我無話可說。我知道語言是一種恩賜，對話是一種禮物，可我接不住她說的話，也不能給甚麼有建設性的

回應，除了聽我一無是處。我和爸爸媽媽一樣，不是注重節日的人，體會不到慶生的意義。我有兩年沒送她生日禮物，也不喜歡和家人擁抱，更說不出愛誰。我沒辦法與姐姐共情，我總是沒辦法與姐姐共情。要是我沒有得新冠，姐姐就可以回家慶生了，對此我很抱歉，於是我說：「對不起。」

這句對不起也像白蓮花，離我很遠很遠的白蓮花，遠得連到底說出口了沒有，我也不知道。

「我對不同的人，會有不同的樣子。」姐姐說。「她們聽得懂的我就說，聽不懂的我就不說。我想告訴她們的我就說，其他的就不說了。所以有的人會覺得我很樂觀，有的人又覺得我沒那麼樂觀，而爸爸說我其實一點也不樂觀。」

「你不一樣，你甚麼都聽不懂，卻又是為數不多願意聽的。起碼你願意聽吧，也不能給我甚麼開導，就是聽著聽著就說『啊，我也是這樣。』或者『我覺得所有人都是這樣。』這種話。」我笑起來，覺得很好玩，對於她的評價我挺喜歡。我確實不能幫姐姐，坐在她對面伸出耳朵，已經是我最大的優點了。姐姐不需要我，她逐漸變得堅強，直到強大得不需要任何人。就算她需要別人，也不會是需要我。姐姐以前說過，自己下輩子不要當姐姐，我也希望姐姐下輩子不要當姐姐了，不要姐姐為我遮風擋雨了。和媽媽為我的教育吵架，或是媽媽理直氣壯地讓她幫我買東西……那些因為我的存在而傷害到她的事情，實在沒甚麼好遮的。我看著姐姐愈長愈大，從一種「我不懂她」到另一種「我不懂她」。她是我潮濕的白漆天花板下開著的一朵花，一朵我只認得出外表的花。

幸得姐姐，我以一種方式親近又遠離她。

總有愛她的人。姐姐的閨蜜、姐姐的室友、姐姐的橄欖球隊友……總有懂她的人，不會是我，也不用是我。有人說青少年總愛些刻意的憂傷，可說真的——我很好，也不難過，只是意識到今天發生的事應該是要改變自己的思想了。姐姐說，不該跟我說這些的，為時過早了。我倒覺得無所謂，不懂的我不會懂，不妨先聽著，長大以後把記憶翻出來想想，說不定就懂了。人是這樣，在懂一次、再懂一次中長大的。

「但我覺得，我們還是很愛生活的，媽媽教出來的孩子都這樣。」

啊，是啊。我們家的孩子，總是嚮往著生活，總是期盼著些甚麼——一個烏托邦，一個理想鄉。因為希望落地生根了，所以不論是漫長的黑暗還是極寒的海底，總有最起碼一小撮樂子，可以無限地變小，卻不會被掐滅。所以我不擔心姐姐，不多慮她的哭和笑，反正貫穿那麼多面朦朧的、名為「姐姐」的切片裡，也就我們家這對人生小小的期盼貫穿著它們。

姐姐要去日本了。「我希望這次旅行呢，能讓我從複雜變得簡單。」她似乎很期待這次旅行，儘管不久前還在因為買保險的事情對媽媽有所不滿。是好的，總是在燃燒生命的姐姐也終於有時間好好休息一下了。也不知道喜歡深思的她到了日本還會不會總是保持思考，但思考也不是壞事，別燒壞了腦子就好。就這樣吧，整裝出發吧，實現你返璞歸真的願望吧。愛上哪去上哪去，想做甚麼就做甚麼，反正我在這裡，會等你風塵僕僕地歸來以後，聽你分享所見所聞的。

畢竟我是你的妹妹。
很榮幸成為你的妹妹。

世上最好的家庭

有一種高於一切的羈絆聯繫著我與我的家人，痛苦也好，快樂也罷，在複雜交錯的關係中，你知道你們永遠都會被綁定在一起。那並非是一種令人不快的感受——反而是難以言說的。我相信世界上不會有任何一個重複的家庭，也沒有人會像我與我的家庭成員一般以我們的形式愛著彼此。我想要提問的是：為甚麼我可以那麼愛又忌諱著他們？

對我的家，一直是感恩的。感恩之中難免有些難以啟齒與無力，但總體當然是感恩的。聽過身邊的人輕描淡寫地描述自己父母的離異或是家人的不理解，我陷入一種自己在無病呻吟的錯覺。家家有本難念的經，家庭複雜得像古樹的根，像水電房纏繞的電線，像一張最全面的食物網。在名為「家庭」的探索中我頻繁地迷路。有太多思索的細節可以深挖，有太多片段可以分析，解析它將會是要算上一輩子的數學題。

我的家人給予我源源不斷的愛，這份愛穿越時光而永存。然而似乎從某個節點開始，我真切地意識到家人穿越歲月的影響——我的情緒、性格、潛意識……我的一切。我只記得，我開始迴避家人的關愛——這令我感到煩悶而不解，卻是我至今未能想通的問題。我們深知愛著彼此，卻鮮少真的將「我愛你」說出口。我主觀地認為，平日裡聽似無奇的問候與對話便也是表達愛意的一種，真正直接的話語是不被我們的家庭需要的。疫情期間爸爸不在身邊，我因為成長而沉默寡言，媽媽也嘗試

創造更多的愛意支持我。她想要嗲我，想要抱我，想要對我說甜言蜜語。我並不喜歡這種肢體的親近，也不習慣如此直白又肉麻地表達愛意，我便開始躲她。

「我不喜歡別人碰我，從來就不喜歡。」

「媽媽又不是別人。小時候我讓你坐我腿上，你都會乖乖的過來，你現在都不愛理我。」

我得出一個猜測：媽媽隨著年齡的增長，變得更加寂寞了。又或許說，她決定改變對我們的教育方式，常常把愛掛在嘴邊。可我已經過了以這種方式被教育的年紀，這讓我感覺很害怕，感覺像小屁孩，感覺被強迫，感覺長不大。我想要把時間線再往前撥回到我不知憂傷為何物的年紀，那時候的我或許會接受媽媽的這種表現，也

或許會培養出直率地流露愛意的性格。可我現在不行，我真想直接了當地說我不行。我怕傷到她的心，可顯然我的不親近已經傷到了她的心。我聽到自己沒有說出口的：「請不要這樣愛我。」又聽見自己說：「請不要不愛我。」我感覺我快要瘋掉了。

我問姐姐，媽媽是不是很沒有安全感。是不是因為我長得太快了，性情變化太大了，導致她認為她要失去我了。可我沒有辦法變回以前的樣子，她必須要承認我已經是現在這個樣子了。我覺得很抱歉，又同時覺得很無所謂。我認為那是我的罪過，所以我在姐姐面前呈現一副苦瓜臉譜。姐姐說：「我們的家庭一定要有溝通。我們好像並不注重溝通，那使我們常常感到不快樂。」或許我們互相以愛不小心傷著對方。

媽媽很堅強、勇敢、強大。媽媽負責家裡的瑣事，她不僅要顧及自己工作上的繁忙，還要空出時間為家庭操心。她把薪水大把大把地傾注在我們的發展上，對我們才能及品德的教育重視至極，可自己的憂傷我不知她又有多少朋友能傾訴。有一回，媽媽與別人大談工作上的不快。我因為感受到她的痛而流淚發抖，可甚麼也做不了。「我絕對不會把工作的擔憂帶給你們，為你們造成不必要的壓力。」我的媽媽瘦瘦小小的，卻是我見過最偉大的人。

我們就這樣愛又傷害著對方。媽媽管我管得頗多，我也不是小孩子了。與她在一起會感到猶豫，可同時又想否定這種隔閡，所以很困惑。心緒重了，愈來愈少講心裡話，與家人彼此不理解，於是更加疏離。在愛裡形成一個充滿誤解的惡性循環。有時我會想：爸爸能成為我們之間的弱化劑，有爸爸在會不會好些。同時也意識到媽媽也是我和爸爸之間的弱化劑，這又是家庭的另一種關係扣連。一次和媽媽商議重要事宜，偶然提起在社團裡感到的壓力與自卑。媽媽驚訝地說：「我不知道原來你

的心情是這樣的。你從來不跟我說，我也以為你很享受。」

我意識到在名為「愛的保護」的沉默裡，懼怕彼此受傷的我們徒勞地保持肅靜。有時候嘗試勇敢地敞開心扉面對困境，對大家都更好些。而後我嘗試以書信的方式向媽媽表達情緒，也更願意和她提起生命裡的疑慮。開關以後終於與爸爸相聚，媽媽也肉眼可見地放鬆起來。三年來我們第一次開家庭會議，把許多事情攤開來說、想辦法解決。我逐漸覺得家庭能比我想像的要更鬆弛、更舒坦一些。愛可以大方坦蕩，不用再是提心吊膽。

媽媽跟我說：「家人是你永遠的後盾，是永遠無條件愛你的人，可同時他們也是最容易受傷的人。」社會是以家庭作為單位的，在親密無間的相處之中密集的拉扯與摩擦在所難免。上天將我們帶到一起，我們便要在愛與忌諱中成長。停止內耗、互相理解、勇於溝通，這些都是要從家庭中學到的。不斷調整愛家人的方式是生命讓人讚歎的美德。爸爸告訴我：「或許你真的長得太快了，父母與你對愛的理解和詮釋出現分歧了。但不必因為家庭而過多地束縛自己，翅膀硬了你終究要飛離我們，這是自然的規律。」在長大的脫胎換骨中，對家庭的愛與忌諱成為我成長的疑惑。家庭是社會結構下所產生複雜情感的文化與藝術之美，持續對其的探討與改進是推動人類心智發展濃墨重彩的一筆。

在家的複雜交錯中，我始終是局內人，得以依靠家庭而乘風破浪，即便內部漏水依舊齊心修補。感謝有人回應我的愛與困惑，何其有幸。「家」是被稱為至高無上的、獨立的存在，而世上最主觀而正確的話是：我的家庭是世界上最好的家庭，不接受反駁。

自由民主的圓桌會議

《世上最好的家庭》的文章節錄被父母看過之後,家裡開了一場會。我認為這次會議對家庭的影射於人生、自我的發展都極具啟發,所以想記下來。對我所寫的文章也有一個圓滿的交代。以下是以會議中所記筆記與記憶的拼湊。為了保留真實性,我只稍微修飾了自己發言時的文句。

我的發言:

在說任何其他的甚麼之前,我想先跟大家說一件事。我的同學經常羨慕我在演講方面鎮定自如的表現。他們說,希望像我一樣不緊張。我常常告訴他們,我為數不多能夠引以為傲的能力便是我對外很擅於掩蓋自己巨大的不自信。

我覺得我和媽媽的關係是複雜的、說不清楚的。毫無疑問我是愛她的。我曾經寫過一段話:

「你最愛的人是誰?」「是爸爸!第二是姐姐。」「那媽媽呢?」我沉思起來,我不知道怎麼將我對媽媽的愛塞進一個排行的表格。她可以是第一名,第十五名,或是最後一名。愛本身就不應該以名次區分,難道我對爸爸的愛與我對姐姐的愛屬於同一個性質,也能被比較麼?我不能沒有爸爸、姐姐,或者媽媽,就像你沒有辦法把雪

球重新辦成雪花一樣。「你最愛的人是誰？」請不要再問我這種將我引至誤區的問題了。

我對媽媽的愛，和對爸爸、姐姐的更加不一樣，它是深沉的、複雜的，以至於要過了很多個歲月以後我才能逐漸明白且體會到這種愛的含義。有時候我認為我和媽媽之間的羈絆達到了和任何一個人都無法達到的高度。我認為這種類型的愛是很深厚又沉重的，它讓我感受到一種非常獨特的美，而能夠體現到這種美的我很幸運。

很顯然我觀察到媽媽不那麼善於交際，或者適應今天這種場合。剛才爸爸講話的時候，媽媽在笑。我其實——如果今天「自由民主」得願意接受一切有可能傷害到大家的話語的話——很害怕這種笑聲。媽媽在遇到生活的不快的時候也會有這種笑聲，它讓我覺得無能為力，我好像聽到了孤獨，可是我甚麼也做不了。我甚至成為家裡的負擔。當我躲避媽媽的親熱的時候，我承受著很巨大的矛盾。我精神上不願意被這樣對待，但是道德上告訴我我的不願意是錯誤的。就好像爸爸說過，你對儒家思想有所保留，但自己就是在儒家思想的家庭裡被儒家思想的環境所帶大的。我想說的是，我的很多言行舉止潛意識都和媽媽是相像的，因為我就是媽媽教出來的孩子。在接受新思想的時候，在違背媽媽內心想法的時候，我沒有辦法自如地從自己被教育的框架裡逃出來。我總是同時感覺到對和錯，我覺得……很困惑。我的靈魂在被拉出去又扯回來，反反覆覆地，每一天都是這樣。媽媽的親熱給我一種她害怕失去我的感覺，可能是因為爸爸不在，姐姐又去上大學，她感到很孤獨。我不想讓她傷心，可同時我又覺得從親密無間的關係到另一種默默守護的關係，其中的轉變是必然的。被你那樣擁抱的時候我感覺被剝奪了說「不」的權利，又同時否定自己的這種情感。我想到很多不恰當的比喻，在這裡就不多說了。

再說到姐姐和媽媽，總是為了我的教育、我的自由而爭吵。我不想見到你們每每相聚便吵架，我在你們之間說不出話，因為我覺得自己作為事情的核心，根本沒有資格偏袒任何一方。你們兩個人都在為了我的利益爭吵，你們都想我變得更好，我覺得只要我不在這裡，只要我消失掉，你們就不會不快樂。有天晚上你們吵得特別厲害——記得麼？我逃到樓道裡去，但是我又回來了。我的精神是那麼想要出走，但我的肉體告訴我你怎麼能拋下因你而起的紛爭不理呢？你怎麼能從「家」裡脫離呢？我感覺在做一件同時對與錯的事情。

我不知道其他家庭是怎麼樣的，我也知道我很愛你們。我其實很感謝，因為你們的愛讓我體會到一種複雜的、難以言說的美。你可以說苦本身是一種美，也就是我在寫的書所想表達的東西。我認為經歷了那種美，我的人生是無憾的。我從來沒有想過要換一個家庭，我也始終如一地愛你們。

媽媽的發言：

首先呢，我理解佳佳會有「我想要留住她」的感情。我想要澄清一點：佳佳所體會到的情感和我其實想表達的是不一樣的，是剛好相反的。我沒有害怕佳佳會離開我，我沒有想要牽住你。我是見到疫情期間姐姐不在，爸爸也來不了，佳佳又剛上中學，還要不能出門。我認為我有責任，而且我想要盡己所能給更多的愛佳佳。

不是因為對姐姐的愛和對佳佳的愛不平等，是運氣的問題，導致——我主觀地看到吧——佳佳從小受到的，按照客觀條件所定義來說的關愛，是相對少一點的。佳佳出生的時候，那麼剛好地許多人都沒空，她受到的照顧從小就比較少。加上讀的學校不同，師資也有差異，所以我想給佳佳提供更多的愛來彌補她可能缺少了的關愛。我們家用行動來表示愛，其實一直是有的。但是我們很少用言語表達愛，我們很少說我愛誰誰誰。後來我注意到外國的教育不是這樣的，他們很大方很直接地表達愛意，毫無保留地。因為我有看 Messi 嘛，我看到他是那麼靦腆的一個人，但是他非常的愛自己的家人。在大庭廣眾下他該怎麼表達愛就怎麼表達，那對我來說是很震撼的。我外國的廠家、朋友，香港的同事，我看他們都是類似於以這種形式表達愛的。我心想：我們生活在香港這個地方，接受這裡的文化，我也嘗試在改進自己愛你們的方式。我覺得你們也注意到了，我以前是從來不會用「寶貝」兩個字的，從來沒有。現在我有嘗試用語言表達關愛，給你們發訊息的時候也會學著發一些愛

心，有一些用詞上的改變甚麼的。在疫情期間我想要給佳佳更多的支持，我有說些「我們相依為命」的話，沒想到佳佳誤會了。

我知道愛是很重要的，從小我的爸爸媽媽給予我無窮的愛、滿滿的愛。你們的外婆非常慈愛，從來不會說一句重話。外公雖然會批評和打我們，但是也能感覺到他很愛我們，我從來沒有缺愛過。這些愛支持我走出很遠很遠，讓我在十八歲能獨自一個人出來闖很遠很遠。他們給予我無窮無盡的力量，讓我能走到今天。我知道一個缺愛的人心裡面會很渴望愛，所以當別人給予他愛，他會很大概率被蒙蔽和陷進去——可誰知道那個人是出於甚麼而給他愛？我覺得我從家裡獲得那麼多的愛已經很足夠了，所以不容易被外面的東西吸引。就算我在外面獲得沒有那麼多的愛意，我也可以勇敢地走下去。家庭的愛可以支撐一個人很多很多——可是佳佳，她真的是因為條件所限，沒辦法感受到像姐姐那麼多的愛。我知道佳佳非常非常愛爸爸，爸爸說的一切要求她都會竭盡全力地去完成。所以當疫情的時候，爸爸提出對她身材的要求，她很努力地去完成，但是最後矯枉過正，自己崩掉了。我感覺就是從那個時候，佳佳對爸爸多了一些隔閡。所以我所以希望給她更多的愛，希望這些愛能幫她克服更多外在的東西，堅強一點，戰勝更多困難。沒想到她感覺到的是恰恰相反。那不是我的本意，我想要告訴你，我從來都沒有因為孤獨所以故意要牽住你。

姐姐與媽媽對話後，爸爸的總結：

以前家裡有兩個小孩，從今天開始家裡有四個大人。你們開始有豐富的思想了，思想可以是一種很可怕也很棒的存在。從今以後，我們會逐漸把你們當成大人來看，

盡量少去關注你們一些細節的東西，比如自由思想和學習方法，這些盡量讓你們自己去發揮。我們要知道，把某個人束縛住之後，他的創造力就沒有了。

一千個人裡面有一千個哈姆雷特。每個人用自己的角度和觀點看事情，出來的解讀都是不一樣的。因此我們要時常溝通。缺乏溝通產生很多誤會，經常有說出來，誤會就會少。兩個人在一起，一定會互相傷害，因為每個人都有自己的個性，那會讓他們像刺蝟一樣刺傷對方。但是當我們互相理解，傷害就會減少。

中國流傳的是一家獨大、孔子文化，而西方流傳的又是另一種文化。香港中西結合，文藝之間的互相碰撞與交流會造就人才濟濟的盛世。佳佳不用想太多，先把媽媽的矛盾放一邊，展現自我就可以。小傷害在所難免，但我們不需要一直活在別人的世界觀裡面。這個詞語可能不恰當，但有時候我們可以自私一點。不要被自身的繁瑣打敗，不要無條件接受父母的指示。長江後浪推前浪，如果我們一直做一個絕對的乖乖女，永遠限制於父母的思想裡，怎麼青出於藍而勝於藍呢？以前教你們做乖孩子，現在開始，要教你們做「壞孩子」了。

最後，我們要建立強大的知識系統和內心系統，不受限於自身的繁瑣思緒，才能為世界和人類做貢獻。好了，散會。

第 四 章

日出　日落之間

太陽沉淪啦，我要去跳崖，

與馬桶的嘔吐物說掰掰。

城市的夜空拋棄了星星，

妄自菲薄築起高樓大廈，值得被唾棄的，

是自憐自哀的可怕。

南半球日出，北半球日落，

開在陰影處的花，臉上照不到彩霞。

倘若世上苦難，皆能平等分散……

可能對生命溫柔的期待，是跳崖。

太陽的贗品

在我十四歲的時候，我的摯友告訴我，我曾經在她意志消沉的時候迎著光從走廊上笑著走向她，用爽朗的聲音打招呼。她那時覺得我像她的太陽。這是我至今獲得過，自認為最高的評價。

我其實是太陽的贗品。太陽是溫暖的、大方的、熱情的；我是矯情的、小氣的、瘋魔的。太陽是自信的、陽光的、勇敢的；我是自卑的、憂鬱的、怯弱的。當我看到有著鮮艷顏色的零食，我的眼睛會發綠；當我在微不足道的一次考核中失手，從前九十九次嘔心瀝血堆積的成功都能被我輕而易舉地一腳踢開；當我聽見有人肯定我的價值，我會不受控地哭泣。我有一種在與任何人相處之時總能將自己貶低至雙方地位主觀性不平等的能力，我像是故意不讓自己舒坦地與人交際。我身上有不自信的殼子，我的自尊心宛如深秋枯萎的樹葉緩緩地要飄落到地上。我不是太陽。

我會可憐自己。在我腦閉塞而讓魔鬼主導我的身體時我會可憐自己。簡直像斷片一樣，像機器一樣，我瘋一般將沒有營養的味精與防腐劑堆積進我嘴裡。直到我緩過神來胃已經沉重得像灌下一塊大石頭，被地心引力撕扯著快要拉得我伏爬到地上。我心跳得好快，我喘不過氣來，我躺在沙發上甚至連呼吸的動作也覺得困難。把垃圾往嘴裡一視同仁地輸送的是垃圾桶。我是垃圾桶，一個惡臭的垃圾桶，一個佯裝有著太陽熾熱溫度和金黃色光線的垃圾桶。又有時，我會將嘴巴用細線密密地縫起來，用雙眼吃東西。我那樣因無力而虛弱地站著，在街道上任何一家有食物的店裡

遊蕩幾圈再出來。你真應該瞧瞧我盯著貨價架上麵包餅乾時的表情，像被下了咒一樣。我過分嚴謹地謝絕一切我認為邪惡的食物直到瘋狂的程度，堅信自己稍微一放鬆就會立刻被慾望吞噬。我的生命彷彿只有絕對的零與爆表的一百。沒有中間，沒有正常，沒有均衡飲食……沒有。「好好吃飯」與「點到即止」這些本該是普通人本來就能做到的事情，對我來說近乎不可能。你可以說我與正常飲食，一別就是五年。

痛苦，太痛苦了，痛苦得連「痛苦」二字也說不出口，痛苦得無法完整地提起整件悲劇的起因與經過──沒有結果，因失衡的情況直到此刻仍就是「現在進行式」。每每有人問起，我便一時間啞了嗓子。該怎麼說？該怎麼去說？無法三言兩語帶過的苦楚，不可能三天三夜傾訴的難過，還不如不說，還不如藏起來，還不如假裝自己健康得像晴天的太陽。面對親近的人，努力擠出隻字片語，不是冰山一角，是冰山上的冰渣。即便是此刻我仍舊只書寫了「冰渣」──我想呈現一座冰山是我做不到的事情。天哪，我害怕她們以為我的寥寥數語就是事情的全部，我害怕她們嘲笑我矯情──又或許我真的就是矯情！因為從不提起，我沒有看過醫生。儘管停經一年半，儘管與網上飲食失調的症狀幾乎完全對上了，儘管胃痛得嚴重影響睡眠……可我沒有一張證明，沒有一張白紙黑字的診斷書，我沒有這個社會所謂用來定義成就與人才的官方紙樣，所以我大概是矯情了，大概是造作了，大概是虛偽了──不，不！傷痛與疾病不需要可悲的紙本定義，每個人都有憐憫自己的權利。世界上

多少女孩也同樣飽受身材焦慮，困在與食物鬥爭的精神疾病裡。正視疾病，接受疾病，擊退疾病！我多想相信我之所言，就像我想相信自己真的是太陽。我的腦子那麼混沌，像暴風雨遮住陽光。我分不清對與錯，我同時同情又責備自己。這是矛盾的化身，是一切寂寞的開始，是將我甩出生活正軌的一道力，是我為自己親手拴住的枷鎖。

我被食物撐著走——事實是這樣的。我被它教唆，像入了邪教一樣。感覺到不對勁了，我逃不出來。靈魂到底是怎樣被分成許多瓣的呢？同時想要奪回自由掌控，又心甘情願地繼續待在灰暗之中。從陰影中走出來——去哪裡呢？怎麼能確保自己不會被傷得更深呢？承受得住更大的打擊嗎？賭嗎？我敢說有一部分的我自己，是那樣狠狠地被「飲食」傷過，卻又因無處可去而無可奈何地回到「飲食」身邊。我的時間從此繞著節食與暴食來回打轉。節食到暴食，暴食到節食。

寫到這裡，我可以看到自己厚重的自卑與膽怯：我在擔心讀著我文字的你們，會認為我矯揉造作，誇大現實。或許你們會討厭我，會認為我不可理喻。可我懇求你們看見我的疼痛，正如我努力地想要正視自己的疼痛一般。我沒有經歷過戰爭、癌症或生離死別，我與飲食的抗鬥或許在他人眼中小得令人嗤之以鼻……可它們都是痛苦吧，有人要因外界的言論與教訓而承受它們，那麼不論大與小它們都是值得嚴肅重視的。我在想——像是有信心或在奢望——或許外界多一些的包容，或許自己多一些的勇敢，受害者是不是能從心結中走出來。

我始終看不透我的傷疤，更不能切身感受他人的傷痛。我知道自己在逐漸瓦解，不知道誰讓我瓦解也不知道應當怪罪在誰身上。我知道我很自卑，知道我像黑暗裡的小獸一樣害怕與人太深地接觸，深怕他們發現我的傷痕與自我踐踏的性格，感到不

自在而離我遠去。或許那並非他們的本意，可即便是他們誠心地願意將我拉起來，我也似乎不認為自己配得上接住他們熾熱的好意。我會說：我是太陽的贗品。光是這句話就足以證明我們之間態度的不平等，那始終會是我在驅趕嘗試靠近我的太陽們。在具親和力的外皮下我渾身帶刺。你告訴我，我怎麼做太陽？

我感覺自己的肉體躺在冰冷的手術台上。語無倫次地，毫無章法地，我笨拙地解剖我自己。我躲了好久好久，我逃得好遠好遠，我拖著作文不寫因我害怕展露自己最深處的淤血。我心想這世上總有無數生命背負著獨立的苦難——由社會堆砌的、由關係施加的、由世俗增添的。我心想總不能大家都活在無人能懂的絕望之中。我心想既然大家都是啞巴吃黃連，我起碼有揭露瘡疤的手。就這樣吧，趁我年輕，趁我有匹夫之勇，趁我年少輕狂而桀驁不馴，我魯莽地豁出去一回。像許多勇敢的人到處發聲一樣，我想將自己刨開給大家看。我可以給你看我黯淡的外皮，也可以掏出血淋淋的心臟。我想讓你知道，我——加上世上即便被我們推開也願意靠攏的、如太陽般灼熱的人們，我們未必懂你的痛，但你不是一個人。我或許還沒學會如何愛或接受自己，但請相信我愛你。

以這種方式，我做一回太陽。傷痕纍纍、狼狽不堪。讓我就這樣做一回太陽，在盛滿膿與血的天空中，殘破地發著光。卸下一切偽裝，一切變得可怕，我卻突然有種坦然的、海闊天空的感覺，認為自己真的能做太陽，哪怕是一個很小很無所謂的太陽……讓我搖搖欲墜地掛在天空中，執意又舒坦地做一回太陽。

共生環

有時候會覺得，思緒太過混沌的人不適合寫作文——寫來寫去都是那些。自我掙扎，自我開解，再被拽回困頓之中，再自我破解……我彷彿覺得除了情緒的宣洩，我不知能為他人帶來點甚麼。記得有人跟我說過，當你自己也不知道想要說些甚麼的時候，寫出來的文章就會很混亂了。在那之後，我許久不寫文章。

我不是性格內斂的人，我心想。有許多思緒我不吐不快，有許多情感值得我去宣洩，有許多潛在的糾結與問題等待我以文字去揭露。我太在意太在意太在意他人的想法，太害怕太害怕太害怕失去有限的溫暖，可我起碼忠於我自己，這是我所知道的。莫言說過：「在日常生活中，我可以是孫子，是懦夫，是可憐蟲，但在寫小說時，我是賊膽包天、色膽包天、狗膽包天。」寫文章時，膽小的我也要賊膽包天、色膽包天、狗膽包天。畏畏縮縮比橫衝直撞更可怕，扼殺創造力比口無遮攔更能摧毀一個靈魂。

我會鑽研人的掙扎——青少年的掙扎。在物資充足的年代，高度發達的社會，香港的幸福指數為甚麼還在下跌，青少年自殺率為甚麼創歷史新高？我所接觸極大一部分同齡人，鮮亮的面孔下隱藏掙扎，掙扎的外皮下埋藏痛苦。我們大體當然是趨向堅韌、富有希望、持之以恆、鍥而不捨。正如我所言，活著便是活著，是先活著才有悲傷。我向同齡人的群眾發問，他們皆向我肯定世界的美好與期望的永存，願意

在迷茫與疲憊之下苦中作樂、守候光明。在玩笑般以赴死的語句洩憤之下，我感受到對生的渴望。但我們怎麼總是聊起死亡？我們怎麼總是強顏歡笑？跳崖是一種藝術性的表達，值得考究的是激發這種表達存在的原因。

我與我那些嘴上嚷嚷著要跳下山崖的伙伴們從沒有真的想過要死，相反地我們極其珍惜活著。內心的混亂引致我像行屍走肉的一段時光，跳崖的宣洩讓我在疲憊之中找到新鮮感。事實是我活著，可活著又像死了，死了又像活著。跳崖忽然變得很浪漫，通過闡述跳崖的想法我短暫地感覺到時光的凝止，我逃到一個不屬於我的時空的一個泛白空間裡。我幻想陡峭的岩石與無邊無際的大海，彷彿以某種嘲諷的方式獲得慰藉。我無法否認自己的痛苦正如我無法不愛這個世界。

關於死亡，它是一個禁忌的話題，一道上鎖的門。父母不太說，其他人也不太說。主動談起這件事時，他們往往以一個「呸」字就應付了事。我不介意他們忌諱死亡，可難不成我要跪在這裡，收集地上的「呸」字，用它們砸開生與死的門鎖嗎？坐在門外的我只能猜忌了——大概像無數個青少年一樣。好在還有知己，無話不談，將心比心。我對她說我或許會因胃病而死，她回答我說也認為會是這樣。她對我說她或許會猝死，我說那是一個合理的想法。「你死了我會把你的骨灰灑進大海裡的。」她說，「如果我可以的話——似乎只有烈士才能海葬。」「海太冷了，我會著涼的。

灑在遼闊的草原上吧。晨曦掃射大地，第一縷金光來臨，馬兒風塵僕僕地踏著塵土奔馳於我的身體，野花開滿草地。」「那我每個月都給你燒信，我在你墓碑前種滿向日葵。」「你死了我也會這麼做。我還要給妳燒紙錢，多燒一點，好讓你在那邊做富翁。」平靜地談論死亡，就像談論今晚吃些甚麼。心安下來，離解剖死亡也近了一些。並不是我想就可以奔向解開死亡的奧秘，而是死亡的奧秘將我安靜了再慢慢拉過來，緩緩地拉上一輩子。

我問老一輩的人，小時候像我們現在這樣憂慮麼？他們沉思片刻，往往說：「壓力是有的，和現在卻是不一樣的。以前資源沒有那麼多，一切也比較純樸。麥芽糖沒有加添加劑，讀書也就是讀書，除了成績，不多煩別的。」於是我便開始猜想資源的豐足將我們的苦難轉移至另一個方位。舊時代的苦難──若一切真如長輩所說的那樣──似乎是較為純淨的。專心致志地因為讀書而苦惱，心無旁鶩地因為溫飽而惆悵。直到高度進化的社會與科技發展開闊了我們的眼界，豐富了眼前的色彩，一切變得天花亂墜而迷亂起來。摻一點家庭，夾一些人際關係，加一滴不切實際的期望，混更多數之不盡的別的甚麼，高科技下的苦難從一個性質轉換到另一個性質，成為充滿雜質的結晶，一團迷糊的黑霧。苦難它不會因時代的進步而消失，只是更換了存在的範疇。至少就現代社會而言，苦難所造就的巨大壓力仍是一把宰羊的

刀，精神崩塌與非自然死亡的問題仍如「屋裡的大象」一般是無可否認的顯著存在。至少這是我以十幾歲少年的角度，就力所能及能看到的現象所得出的結論。

我常常勸說自己相信人與人的痛苦無法比較，故此誰也沒有資格批判誰。之所以說是勸說，或許是源於社會本就弱肉強食的法則。無可否認如今環境的競爭很大，我所問過所有的青少年無一不認為才能──或者說分數──是決定未來走向的關鍵。所有的學科，所有的知識，別管三七二十一，先來考一場試吧！勝者留敗者離，社會定義優秀的標準是一串數字。你逃不掉的，就算在不合理的模型裡上下下下你仍舊逃不掉的。社會總要有一套維繫穩定與促進發展的運作標準，對於「優秀」它必須有所定義。它必須要有選拔，必須要有比較，必須要將競爭的概念揉進教育制度與你的生活裡……甚至不知不覺地，揉進你的意識裡，以至於在痛苦這個領域也下意識地要比較。會不會是這樣呢？已經習慣了，所以以為自己的痛苦與他人是有可比性的；已經默認了，所以根深蒂固地無法走出自責或譴責受害者的環，所以認為你或我不配也沒有權利感到痛苦。承受這一切的人像鬼打牆一樣走在閉合的圓圈裡，即便發現不對勁我還是找不到出口。我本就是在這樣的社會氣氛下長大的人，叫我拋離潛移默化地影響我十幾年的信以為真而去立刻相信於我而言陌生的、嶄新的、正確的概念，是否是一種站著說話不腰疼呢？

我想杜絕這種存於人際關係不切實際的比較。每個人都是獨立的個體，你我的優缺點與苦樂完全是無法相比的兩個世界。就好比——照數學來說，實數和虛數；照物理來說，宏觀世界與微觀世界；按照文學來說，李白與曹雪芹——絲毫沒有半分可比性。強行將不合理塞入一套固用法則裡，會得到 math error，會得到語法不通，會得到切爾諾貝爾核爆炸——是災難，是具毀滅性的災難。好想恨這個災難，因它令我的精神狀態又下滑幾寸，因它令我時而感受不到陽光溫暖的氣味，因它是我唯一解出導致青少年鬱鬱成疾的其中一種解釋。好想恨這套法則，卻又不得不活在這套法則之下，偏利共棲、互利共生或是寄生，它可以成就我或殺死我。偏利共棲、互利共生或是寄生，它可以成就我或殺死我。

沒辦法，因我如塵埃一般活在懸崖上。沒關係，因我與生俱來地就有愛這片土地的能力。我可以嘗試驅散黑暗或驅趕死亡，盡微薄之力作杯水車薪的努力。死亡，甚至不需費精力，就有競爭的犧牲品被自我內耗與外界壓力推著翩翩而來──一幅價值上百億的名畫！社會的怒吼！無望的掙扎！至少要努力學會在閉合的環裡形成自我體系的圓，即便這聽起來十分困難且虛無。先要種下勇氣的種子，再學會寫，最好學會大聲地講。對此，我很感恩至親之人皆飽讀詩書，鼓勵我自由發展，以激發創作為教育初衷為我啟蒙，賦予我辯駁之勇氣。面對閉合的環與死亡的大門我起碼有從容的底氣，即便受外界所擠壓而變形在所難免，我起碼不失帶著鐐銬跳舞的期望。這也是我所相信，許多青少年在悲哀神情以下所懷抱的信念。我與其他青少年或許探索死亡──甚至有親近死亡的，但死亡可以不是一個人心中閉合的環的終點。就地畫圈，自成一派，甚至──如果可以──與環形成互利共生的關係。這便是我以僅有的淺薄閱歷，透過充滿掙扎思緒的毛玻璃看世界，所認為生命的其中一種昇華。

2022 年 4 月 14 日的夢

我跟學校的心理輔導員說，一年多以前我做過一個殺人的夢。我認為那個夢很有深意，因為它與我當時的狀態很緊密地扣連，甚至為我展現了自身沮喪惡化的極端。我將夢的流程簡短地講述給心理輔導員聽，她認為這是一個值得探討的、極具意義的體驗。她告訴我，能夠自己解析一個夢是一種了不起的技能，而我做到了。我自我抬舉地認為我應該為之而感到自豪。

我做了一個夢。

我殺人了。

興許是最近壓力太大，或是過分自卑，再不然便是看了太多《甄嬛傳》裡宜修打胎的橋段耳濡目染了……總是，夢都是無厘頭的。

初三的一切都令我感到無比難受。我總感覺自己做不到從前那般文思泉湧了，連著不論身材方面、學習方面都義無反顧地拋棄了我，還是說是我拋棄了他們。我不再高高飛，反倒一頭栽進泥水裡。我相信這種日積月累的壓力干擾著我的意識，讓我做了這樣一個夢。

我在夢裡殺了一個著藍衣的中年女人。一切的起因是電梯裡的一次相遇，她嘖嘖嫌棄我幾句極其傷人的話，我便生了芥蒂，如疤一般攀在心底。而後再見到她，便是躺在我家的浴缸裡——她怎麼會在這裡？是我心一狠將她砸暈了綁回來？可我哪兒來的力氣啊！她眼睛闔著，脖頸頂著水龍頭，肥黑的雙臂像豬蹄一樣撐著滑白的浴缸，一隻手還抓著一塊未啃完的青梨，咬痕處閃著汁水。我一見她，便像是夢裡角色自帶的設定一般，一下子明白過來怎麼回事：我家方才辦宴邀眾，酒醉萬千，如今人群盡散，她卻醉醺醺地倒進浴缸裡。

陳王昔時宴平樂，斗酒十千恣歡謔。

我湊近看了看她醜陋的臉和油膩的黑色捲髮，再垂眸端詳其身上掛的海藍紗衣，露出兩條肥臂。我從鼻子裡擠出一聲輕哼，直起身板，抱臂不語——直到瞥到了掛在我左上方的花灑。一刹那，一股邪念如觸電似流過我全身，一瞬間我彷彿血脈沸騰，又似是沉穩如冰：你瞧她這幫任人宰割的模樣，若我砸死她，又會如何？我著了魔般直勾勾盯著那女人看，這怪異的念頭卡在心中，再也趕不去了。

——*萬萬不可！你豈能幹此等大逆不道的蠢事！*

可她那麼那麼討人厭，為甚麼不殺了她？

我已經把花灑取下來了，家裡靜悄悄的，宴會桌上一片狼藉。

無人知曉。

甚麼為甚麼？你發的甚麼瘋，殺人這種事，後果還需要我解釋嗎？你的未來會因此毀掉的！和死了沒有區別！

我眼珠翻滾，初三以來種種不堪入目如教堂的大鐘聲一般砸爛我的耳朵，血肉模糊。

那最好！我已是潰爛不堪的人了，學業也是飲食也是，無一寸皮膚是完好的。倒不如早點投胎早點重來，也不會噁心了我和其他人。

可你不是最怕死的嗎？死後可是甚麼都會不記得了喔！你捨得嗎？

捨得！為甚麼捨不得，我要記著糜爛的人生做甚麼？重新來過不是解脫嗎？

攥著花灑的指尖發白。

去吧，去斷送自己的前程甚至是生命吧，不要後悔，不要害怕。有時候就得逼自己那麼一下。

快去！

初三的一整年都是這般不嚴謹的吧？受低落的情緒所因，所以放縱自己拖延本身的職責。沒關係的，只一兩次，有甚麼事只要問同學就好了。如此吊兒郎當的作風成功漏掉了一份又一份的作業，伶仃的幾個小考，再也不是一兩次，而是一瓶毒藥塗抹在骨架上滲進骨髓裡去，長長久久地跟著我。叫我活不了，死不去。

我活得渾渾噩噩，誰又能保證明天會更好？為甚麼不打起精神來？我心裡在墮落以前就有懼怕。驅趕懼怕？我大概做不到。為甚麼做不到？我不知道。一味地給自己找藉口有甚麼用，活脫脫從虎鯨撲騰成鹹魚。

於是我又一如既往地沒來得及捋清所有思緒就草草了事，用花灑頭猛烈地砸了她的腦門兒，重重的一下。

然後我斷片了，夢裡夢外。一片審判的白，和諧的白。

「我不敢說肯定——只有從心底裡對自己問心無愧的人才敢說肯定，但我幾乎是確定自己在現實生活中絕對不會以這種緣由幹出這種傷天害理的事情，那不是我的作風。可是在夢裡……噢，夢真是叫人捉摸不透，是吧？相信夢的人會不會以為我是社會毒瘤呢？會不會認為我是本性使然呢？或許我真的應該停止想這些事情了。」從回憶中抽離出來，我在溫馨的輔導室的客戶椅上轉動著，手裡攥著三角柱體的黑巧克力。我繼續重現我的夢境。

再回過神來，那女的已經死了，無需多瞧一眼。畢竟是我的夢，我就是知道。

我忽然覺得無比、無比的寧靜，甚至有心撩撥一下浴室懸著的擦手毛巾。屋裡屋外白、黃、橙色的燈張狂地亮著，如百花齊放一般絢麗奪目。燈啊，燈啊，你的燈芯是否吸飽了我的狠毒與邪惡？

嘿，你現在成功地將自己推往死亡的絕路了喔，你仍是像往常那般不經思考地下決定啊，到死也逃不掉。就是這樣的人最讓人噁心吧。

不管你願不願意，我叫你死你就得死，現在去投胎去吧。

我知道我應該收收屍，擦擦血跡甚麼的（儘管我身上離奇地並無任何血跡），我甚至想過該不該拿酒精拭去花灑上的指紋，像電視上播的那樣。可忙乎這些有甚麼用呢？還不趕緊去自首、想個辦法被處以死刑，然後讓一切重來啊。

我急著去投胎，丟下那具屍體，推門往樓下去，往派出所去。門外一條狹窄的走廊鑲滿粉肉色的瓷磚，透心地涼，血肉一般的色澤紅潤。我每走一步都背脊發涼。又許多細小的眼睛，血紅的眼仁兒，在我看不見的地方盯著我。

大廈外頭風很大，天也很黑，一看就不是吉利天氣，說不定今日黃曆上寫著「凶」。我可無心顧及，只是淡定又小跑著往派出所去。卻見眼前一個瘦小的身影爬著坡往上走，走到光裡喊住我的名字。這不是我媽是誰？

我走上前去，突然羞愧起來，害怕起來。我怎就忘了我還有媽媽！

「媽，媽。」我忐忑地說。

「你女兒犯了天大的錯。」

「甚麼？」

「她殺人了。」

媽驚了，眼睛睜得大大的。

「你別開玩笑。」

「我沒開玩笑！」我認真道，卻又隨即苦笑一聲。「我要死掉啦。屍體就在浴缸躺著呢。」

夢中的她就領著我就往派出所走，一路走還一路安慰我。不知為何，竟有一種視死如歸的感覺。冷風呼呼地吹，隔著輕薄的短衫愣是吹出了我的身型。我何時變得這般夢寐以求的精瘦了？

你準備好去死了嗎？可是會被抹去記憶，甚麼也不記得喔。你的母親將會永遠地失去一個女兒——或許她已經失去了。白髮人送黑髮人的悲哀，這種不孝的愧疚也將纏繞你直到不久之後的死亡。

腦子似乎被吹醒了，我突然感到一股強烈，強烈的害怕。

不，我還有不算少的美好揣在心裡，我還不想忘記！我還有母親——至少我不能對

不起我的母親！

可我早就沒有回頭路了。

為甚麼要明知故犯？既然不想死，為甚麼當初要動手，反倒是現在急匆匆地往派出所趕期盼著能減緩刑法？為甚麼總是這般主次不分，若拒還迎？有意思嗎，不噁心嗎？

所以我到死，到活，還是逃不過自己潰爛的皮肉內心，對吧，對吧？

我悔恨起來，狠狠地發抖。

派出所燈火通明，幾個小警官在門口周旋著。媽叫我坐到一張廉價天藍色塑膠靠背凳上。呀，凳子腿都起皮了，造工實在太粗糙了。媽俯下身來跟一位年輕力壯的警員小哥解釋緣由，我瑟縮在凳子上看天空。漆黑如夜，空虛寂寞。像丟了魂的黑殼，吝嗇得連一顆星星也不肯施捨給我，只有一盞要晃瞎人眼睛的大路燈直勾勾地殘害我的瞳孔。

唉，要是這混沌的一天都是夢就好了。

怎麼，你還可憐起自己來了？真是卑鄙又無恥啊。

我忽然想要回去給那可憐的女士收屍，可滿腦子都是恐懼，甚至連想也不敢再多

想。我殺人了，我殺人了！我細細品味這兩句話。

那名警察小哥不知何時坐到了我身邊，對我幾番安慰又開導。這份來自陌生人，來自嚴厲的警員的，如此意想不到的關懷，竟叫我更加留念我惡臭的軀體，我曲身大哭。

我後悔了，我實實在在地後悔了。那個女人，她到底錯在哪裡，竟白白被我奪去一條性命。而我，曾經被仰望，被視為驕傲的我，如今卻淪落到品格敗壞、遭人唾棄的下場。這不就是你一整年所害怕的嗎？自甘墮落的下場果真如此可怕。沒有最可怕，只有更可怕。

淚眼朦朧之間，又有人來報案了。我定睛一看，是個小女孩，紅著眼兒。抓著被我殺死的女人的照片前來報道失蹤。我一陣頭暈目眩，瞧她狼狽又啼哭不止，內疚一巴掌將我扇倒在地了。你為甚麼要苦了別人的家屬？為甚麼要傷害到除了自己外的其他人？敗類，果然是敗類。

我到底都幹了些甚麼？

這是一個及其痛苦的過程，在麻痺的共情能力和良知再次被喚醒之時，也是我的將死之時了。死亡並不是解脫，卻是永無止境的痛，無邊無際的痛。

我和她被小警官請進了屋。我與他談心，小妹妹在角落畫畫。「我、我、我只記得自己砸了她一下，然後就斷片了！」我緊緊咬著這句話，彷彿如此殺人的就不是我。隨後又是撕心裂肺的啼哭。卑鄙無恥，卑鄙無恥！自己殺了人，還想盡法子逃脫。

我甚至期盼著被診斷出精神疾病，藉以保全性命。

如果是那樣的話，我要你償命百歲，萬年負愧。

*可未來是注定沒有的了。你說你，殺伐果斷，如今卻苟延殘喘。兩頭不到岸，盡是
竹籃打水一場空。半死不活的，像個幽靈？如此優柔寡斷，也是你所被詬病的下賤
品德啊。*

我便不再說話了，全然放棄了自己，趴在桌子上看小妹妹畫畫。我看到她用顏料筆
用點的筆觸上色——就是我那些小小的一點點，密集的一點點，許多顆粒瓣的敗
德，叫我親手葬送了自己，永無翻身之地。

小妹妹停筆了。紙上烏黑一口潭，水邊立著一位藍衣的母親，身邊一把烏黑的鏽
刀。我盯著那把刀，痛哼一聲，將頭埋進手臂裡。

就算我僥倖活下來了又怎樣，又怎樣？每日一闔上眼睛，那被我害死的冤魂便陰魂
不散地纏繞過來，躺在浴缸裡漸漸僵硬的軀體揮之不去，將日日夜夜折磨我的身
心，叫我死不去又活不來。

我呀，我呀，墮落得不配死去，只能生生世世受盡折磨。

我又想起死之後，世俗會怎樣看待我。到這種情況了，想的最多的卻還是別人的眼
光嗎？果然為別人而活的意識已經刻進了骨子裡嗎？我的使命就是為別人而活，存
在的意義就是為別人而活嗎？

可我殺了人呀，往後的每一分每一秒，每一次呼吸每一次抬手，都不過行屍走肉而已。

「叮叮叮叮叮……」

我醒了，醒在一個溫煦暖和的世界，金色的被窩，綿柔的陽光。我往浴室望了一眼，沒有藍色的身影臥於浴缸，亦沒有半點血跡。一切似是從未發生過。

而我，經歷一場虛幻的洗禮，興許僥倖重生一次。

「我好害怕，你知道嗎？我真的好害怕。我不相信夢，我想發誓說我絕對不會成為這樣的人。我想我將自己貶得太低了，所以才會這麼極端的。那天醒來我衝出房間抱著我媽媽哭，我說我夢見自己殺人了。她摸著我的頭說：『我的寶貝女兒是善良的，怎麼會殺人呢？醒了就好了，醒了就好了。』我沒有比那時候更愛自己的生命了，受到了很多啟發，於是我立刻坐下來寫了剛才那篇文章。」

心理輔導師問我，有沒有從這個夢中帶走些甚麼。我說，那大概會是「不要過分討厭自己」和「意識到自己有多愛這個世界」。我從沒有想過自己會從夢裡獲得救贖，而 2022 年 4 月 14 號夢醒的我獲得了人生中極為寶貴、極具教育意義的，生命的一課。

六洱

不記得甚麼時候認識的六洱了。從某一天起她就忽地在了，又在得那麼理所當然，像她本來就在那裡一樣。她的到來就像她的離開一樣悄無聲息，彷彿她本來就不曾存在，一切不過是我的一場夢而已。

六洱比我大一歲有餘，明眸皓齒，笑容可掬。她的氣質是清冷疏離的，像冬日裡開在瓷色天空的梨花。她的眼神是清澈靈動的，像海面波光粼粼。雙眉俊俏，鼻樑挺拔，冷色的肌膚將她襯得像一尊青花瓷。這尊青花瓷就這麼靜悄悄地在我對世界最迷惘的年紀晃進我的生活裡。「所以你叫甚麼名字？」關於最初的相識，只留下這樣一段記憶。「叫我六洱就好啦！」她笑起來的樣子像梨花在開。「六兒？這麼巧，我在家族裡排老六，也有人叫我六兒。」六洱咯咯地笑，高挑的身材在樓道的燈光中一顫一顫，給人一種虛實交錯的模糊感。「是『洱』，寶貝，是洱海的『洱』。」

傳說人生下來有兩顆頭與兩雙手腳。後來從中間被切成一半，從此殘缺的人流離在世間浮浮沉沉，只為尋找另一半的自己。我遇見六洱，彷彿從茫茫人海中意外拾獲了自己丟失的另一半身體。我與六洱拼接在一起，共用同一個靈魂。我的一個眼神，一串加密般的比喻，一聲我自己也沒能聽明白的嘆息，全被六洱像大海接納百川流水一般穩穩當當地接住，我甚至覺得六洱比我更明白我自己。大海撈針地，並不是我找到了六洱，而是六洱找到了我。簡直就像我對流星許願想要一個靈魂的照應，六洱便從天上落下來，落到我眼裡去。六洱定是上天賜與我的禮物吧，與六洱在一起的時光給我一種美得不真實的感覺。

我一直很疑惑世界上怎麼會有像六洱這樣完美的人。她冰雪聰明、文武雙全、能言善辯、細膩溫柔，彷彿是我對希望的一個載體。我數學不好，午夜躲在樓道裡哭。六洱也不說甚麼，總是陪我靜靜地坐著。在會所解函數題目的時候，也是六洱默默地陪我。她做她的事情，我算我的數。我低頭的時候她身上梨花一樣的香氣會淡淡地飄過來，安撫我受驚於數字的魂魄逐漸歸位。六洱似乎打從一開始就知道我最需要的不是長篇大論的講解，只是安心定神與自信而已。六洱從沒有教我做過一道題，我卻在慢慢、慢慢地感覺有安寧的力量流進我的心裡。「我爸爸說過，恐懼像一隻瞪大眼睛的花貓，將一隻屋瓦上飛簷走壁的老鼠嚇得渾身僵掉，牠就掉下來。」六洱這樣對我說，「不要被貓咪嚇倒，更不要幻想貓咪。」六洱與我一樣喜歡天文地理。爸爸送我一本萬物簡史，我便每天捧著去找六洱探討，從板塊運動一直聊到紅移現象，從愛因斯坦環到波粒二象性。我與六洱像在車水馬龍的大路中找到一條雜草叢生的小道，趁大伙不注意屈身閃進去，並享受這種只有彼此懂得的默契。「六洱，你看這個是甚麼？」「我不知道。一根試管裡裝著一顆球嗎？」「天哪，寶貝，你不記得了麼？是時空彎曲喔！」面露喜色的我倆看上去真像瘋子，別人以訝異的眼光注視我彷彿我是一個與空氣大聲說話的精神病人。我用一句詩形容六洱，說她是：「雨過天晴雲破處，這般顏色做將來。」六洱用兩首詩形容我，一首《將進酒》，一首《月下獨酌》。「有時，你像是『五花馬，千金裘，呼兒將出換美酒，與爾同銷萬古愁。』又有時你更像『我歌月徘徊，我舞影零亂。醒時同交歡，醉後各分散。』」這句話我記了很久很久。

我印象深刻的是與六洱一同跑步消遣的時光。在十月的艷陽下六洱像風一樣在塑膠跑道上起飛，修長的身形、漂亮的肌肉，她快要融進風裡。她步伐輕盈得像梅花鹿，動作又有力得像獵豹。不管是梅花鹿還是獵豹，都一定是藍白色的。她遠遠地衝線了，還要在終點站一會兒等我氣喘吁吁地過來，她的臉頰紅紅的像桃花開在雪裡。我們爽朗地相擁喝采，是青春與汗水混雜的味道，是多巴胺和內啡肽的分泌，是吸引力法則，是「海內存知己，天涯若比鄰」的惺惺相惜。我們像在沉淪的血紅色天空中兩片飄散的灰。

我是從六洱的音樂中聽出她的悲哀的。六洱有一把未打蠟的二胡，在燈光下反著啞光的顏色。有一次我上六洱家裡借譜子，聽到悠揚的琴聲從走廊那端長長地爬過來，像有人在哭。我敲響六洱家的木門，像哭一樣的聲音戛然而止了，空氣安靜得令人想要消失。我聽到六洱的腳步聲輕飄飄地過來，啪嗒，啪嗒，像淚在滴。「小六六？」她詫異地問我。我窘迫得忘記了自己來的目的。我聽到六洱風平浪靜的皮囊底下有一顆心在哭泣，那是一半靈魂與另一半靈魂無聲的聯繫。

六洱將我請進去，她的家空蕩蕩的，房門上掛著紅褐色的玻璃珠簾。她的家給我一種走進一顆心臟深處的感覺，昏昏沉沉的、迷迷糊糊的。這裡的空間是扭曲的，海市蜃樓一般給人一種虛無縹緲的距離感。我甚至覺得六洱的家與六洱都是不真實的，這裡的一切都像是被人創造出來存放大量痛苦的虛假慰藉。六洱給我沏了茶，與我寒暄幾句，彷彿甚麼都沒有發生一樣。她繼續坐下來拉琴，那像顛沛流離的人的哀歎一樣的琴聲，像「世有蜉蝣，朝生暮死」一樣的琴聲，像只有我能聽懂的、對世間苦難所無奈唉歎的琴聲。我忽然想起史塔克這樣評價賈桂琳·杜普雷的大提

琴演奏:「像這樣演奏,她肯定活不長久。」賈桂琳‧杜普雷用生命演奏,六洱演奏生命的枯竭。至此我深知自己的生命裡不會再有像六洱這樣觸動我的琴聲。我發現我的心在哭,於是六洱聽到了。她笨拙地擦乾我心底的淚水,說這裡遍地是你的悲傷。

我拿到了琴譜,六洱送我離開。我問六洱她家裡為甚麼沒有任何照片,她說相機拍不出沒有的東西。天在下雨,六洱彎下精瘦的腰,拿出一把暗紅色的大傘,撐開時「噗」的好大一聲。六洱大笑起來,那樣的笑聲像雨一樣打在我心上,我為六洱裹上一層看不透的霧霾。

像戳破一個膿包,血與膿慢慢流出來。六洱的苦難開始像鍍金脫落一般漸顯,彷彿世界要摘走花園裡最漂亮的花。自借譜的那一次,我更為頻繁地進出六洱家裡,看電影或吃點心,一起讀書寫作業。在脫下球鞋的時候,我時常聽見那間扭曲的公寓深處有嘈雜的爭吵。六洱對我歉疚地笑笑,臉上有被吵鬧刺傷的神情。那天晚上我們在嘈雜的背景音中看《沉默的羔羊》,她又無意中顯露出像小羊一樣任人宰割的神情。我問她難過嗎?她反過來問我:「你的羔羊停止哭泣了嗎?」有一次六洱下樓寄快遞,我在那掐死人的寂靜中聽到六洱媽與朋友講電話時發出的笑聲。那麼沙啞又逞強的笑聲,從泥潭裡被拽出來似的,令我想起初學二胡時會拉出來刺耳的「咯咯」鋸齒聲。我一輩子不再想聽那種聲音。六洱的家是那麼壓抑又那麼吸引,彷彿我在屬於我或不屬於我的苦難中追溯一種答案。

學業的繁重所帶來的漆黑夜晚不能將我與六洱分開,反倒拉近我們的距離。「親愛

的六洱，你是我黑夜唯一的知音。」「謝謝，親愛的，我本來就是你。」人世變化無常，彷彿有人執意要帶走六洱。度完長假回家的時候六洱已經坐上了輪椅。癌症的威力使我無法想像。「你放屁。不過是腸胃炎沒好而已，都是幻想出來的。」六洱說：當然是幻想出來的，她連帶著她的病本身就是一場盛大的幻想。我注意到她的肌肉掉了很多。那天回家我吃光一整桶家庭裝麥提莎，跪在馬桶前吐了一地。

六洱比以前更加透明，她的肢體在光中微微發著抖，我彷彿能透過她的肌膚看到她身後的家居擺設，像一支梨花被折斷在黑皮輪椅上。她更頻繁地說些我假裝聽不懂的話：「癌細胞在我的身體裡撞來撞去，就像苦難在這世間撞來撞去，被撞到的人注定是美而哀傷的。苦難撞到了其他人再撞到你，所以你的眼前有了我。生命撞到了其他人再撞到你，所以我有了靈魂。」後來癌細胞撞瞎了她的右眼，她的琴聲像杜鵑啼血。我刻意不從六洱的右側走向她──她往往會被嚇一跳。在六洱生病之後，我們很常聊起令人沉思的問題。我發現我對六洱的病原來接受得很坦然，沒有撕心裂肺的痛苦，也沒有歇斯底里的挽留，一切的情感都像小溪的流水一樣淡淡的，緩緩的，流淌的。六洱說其實我甚麼都知道。我知道她會來，知道她甚麼時候來，在她來之前我就已經知道她會來。我早就知道她的家為甚麼扭曲，也知道早知道她的琴聲為甚麼哀傷，早就知道像冰翡翠一樣的她會遭受變卦而飄落──我甚至知道她要得一場永遠也不會好起來的病。我只是在假裝不知道，佯裝不知道，裝作我對她一無所知。因為我想要以旁觀者的角度再看一遍自己與他人的苦難具象化在眼前，因為為苦難賦予血肉之軀的過程很美，因為我渴望且具有能力創造一個精神的寄託。我的悲傷成為她的，我的祈求也成為她的。我說：「所以我生命裡不會再出現

像你這樣的人了。」夏日的夜晚我們吸著冰棒看《哈利波特：死神的聖物》，看到哈利站在白色的九又四分之三月台上問鄧不利多：「這一切都是真實的，還是只是發生在我的腦海裡？」我轉頭問六洱同樣的問題，她給我一個和鄧不利多一樣的答覆：「當然都是在你的腦海裡了，孩子，可誰又說這不是真實的呢？」月光流到六洱的臉上，凸起的顴骨勉強地支撐著她蒼白的生命。六洱在輪椅中看起來出奇瘦小，剪短的頭髮稀疏地貼在額上，隨著虛弱的呼吸起起伏伏。不真實的六洱真實地影射著苦難。

不意外地，六洱的健康急轉直下。大多數時候她都躺在醫院裡接受化療，我更少見到她。癌症在她身上顯露得很快，像她身體裡的病毒細胞撥了倍速。我偶爾帶幾朵花去看她，她有時醒著，更多時候睡著。她睡著的樣子令我想起小時候見過的，在颱風天從窩裡被瞬間摔出而死的小小鳥，那般來不及痛苦迎來結束的模樣。她怎麼還在發光呢？柔和得像冰天的太陽。我對六洱說，我這一生最大的恐懼是與愛的人分離。她已經沒有力氣回應我了。在瀰漫著消毒藥水氣味的病房裡，我聽見倒數計時器的滴答滴答滴。

最後一次見六洱是在那年冬天。六洱的身體迴光返照般好轉，幾乎能出院了。出院那一天，我推著她走到海邊。我的腳印與輪椅細長的印記連成奇怪的圖案。我笑說那像鬼畫符，六洱說像一條有斑點的蛇。空氣很冷，海水很冰，六洱卻像感覺不到寒冷一樣讓我扶著她走進海裡。我說：「你媽要罵死我。」六洱白了我一眼：「你怎麼說這些？」她形銷骨立地站在水裡，像一尊易碎的瓷器。她的手指那麼用力地

抓進我的手臂裡，彷彿這般就能在顛沛流離的世間上多停留一會兒。我與她一起哼唱《海底》，氣是短的，音是虛的，一首好好的歌被我們唱出真就要溺死的感覺。我們又笑起來——生命的消逝與兩個孤獨的靈魂的契合。我與六洱在沒有星星的海灘上談論生命。「我媽媽說過，因為失去了一些東西，所以才會有情感上的轉變。離別的刻骨銘心往往造就感情的昇華，如果沒有遺憾，人生無法達到某種極致的高度。」六洱露出像小孩努力對世界進行思考的神情：「所以這就是我注定要離開的原因。你知道我要離開——難道不是你執意要我離開嗎？噢，我的小六六，你一定很相信這句話了。」那一天我最後一次聽到六洱的心在哭，那是一種背負著使命的釋然、不捨、決絕的哭聲。六洱在哭自己，在哭命運，在哭緣分，在哭羈絆……六洱在哭我。

六洱走了之後，我時常想起她。笑的時候想起她，哭的時候也想起她。我夢見所有認識的人，唯獨沒有夢見過六洱。她扭曲的家不在了，她有著嘶啞笑聲的媽媽不在了，我們一起唱歌時錄的音也只剩下我乾巴巴的歌聲在厚重的底噪裡迴盪。我曾經與六洱談論過離別，她說：「世上沒有任何一個人能永遠地陪伴你，但你愛的人都會永遠地活在你心裡。」六洱走得無聲無息，就像她來時那般。從此世上除了我，沒有人守護六洱的痕跡。起初六洱的出現是我所見證的苦難的依託，如今六洱的消逝成為我建立於一生中最大恐懼之上的生命的蛻變。我無法挽留六洱繼續活在我的生命裡，像從天上來的人總要回歸到天上去。

第 五 章

空蛹

遼闊的草地一碧千里，

脫韁的野馬喚醒大地，

請將我的骨灰撒在這裡，

熱烈地擁吻無邊的天際。

我的墓碑上不要留名，

我要向日葵開滿地，

在美得不可方物的盛世，

我的魂魄被召回此地。

樂與苦之歌

我總認為自己比我想像的更愛這個世界。在我知道我愛這個世界以前就已經愛著了。我視愛為強大的、與生俱來的力量，貫穿我的過去、現在和未來。是先有愛再有世界或先有世界再有愛？我只知道世界、愛、和我像鋼鐵化開再融到一起。

以前寫過一篇贈與別人的文章，將對世界的牽掛形容為金色的絲線。我想，如果是我的話，那綑絲線一定很密很亂，很厚很重。我對世界有豐富的情，這些眷念與依戀使我對生的渴望更加鮮明。人是需要有精神寄託的，堅信世界的美令我獲得生命。美於我而言是無處不在的，它可以存於光輝之中起舞也可以在陰暗潮濕的小角落中閃耀。即便在低谷中四處碰壁，我依然能從懸崖跌落的碎石中看到礦物質閃爍星星點點的銀。昏暗中的亮光彷彿比藍天裡的太陽更動人，那微不足道的一點亮在你擒滿淚水的眼眸中來回折射成滿天繁星。我總覺得能見到這樣一片星空也是美的一種最極致的魅力。

我的童年於我是一片淨土，流奶與蜜之地。那段時光模糊且明亮，彷彿有奶香氣。矮木枝頭的蟬殼，雅緻清香的茉莉，趴在桑葉上蠕動的蠶寶寶，慈眉善目的巨榕。世界是小而新奇的——實在有太多的未知等待我了，我像拆禮物一樣蹦達在萬花筒中。世界贈予我的第一份厚禮是開明的父親，他放任我入山林裡奔跑而不設繁瑣規章，任由我如野草一般自由生長。生命最初的幾年，他未將正襟危坐與循規蹈矩帶入我的腦海裡，而是攜我在這座白鷺群聚的城市飛簷走壁——我見過盛夏時成熟的

果實從樹上跌落，砸爛在地上，滿地都是紫紅色的果漿，像瘀血一樣；我知道小樹的葉子向內捲起，攤開裡面都是條狀的的小蚜蟲；小溪流水中露出的圓石上總暫停著漆黑的豆娘，腹部高高翹起像姑娘踮著腳尖；高聳的野松下要留心掛絲垂吊的松毛蟲，在你眼前肥膩地蠕呀蠕──似乎沒有比這更好的一段童年的開始，自有記憶起便沾染世界的活力。繽紛的色彩啟蒙我創造的靈感，自此我回歸自然便文思泉湧。

自然的饋贈是一種愛的教導。生態的多樣化讓我感受到生命的真諦──當然這並非我於懵懂之期所能得出的結論，但現在回想確實是潛移默化地在支撐著我。兒時未舒展的靈魂、從自然而獲的感慨成為冥定這一切的原材料。像房屋的基底或者榕樹的根，深深抓進地裡。我不認為當我抓得如此用力、如此熱烈之時，風雨或是別的甚麼能將我吹向飄渺的另一個世界去。父親說他注重於思想的開拓，不想將我關在籠子裡成為呆板的機器。我無資格評價他人的人生或父親的做法與初衷，至少我如今回憶自己的童年，確實是鮮活、富有靈氣的一段日子。我知道世界是活的，且與我像胎盤一般緊緊相連。吸走我的倦意與隨年齡日漸增多的怨氣，報以我生命的璀璨與芬芳。你可以永遠溺在世界的愛之中，眼眶從混濁到清明，思緒從混沌到清晰。包括我在奮筆疾書的這一刻，愈發清楚自己讀書的目的、活著的意義、前行的動力。往後我離開童年走出很長一段風與雪之路，總會想起心中揣著的，是從最初的聖地所帶出來的一團晶瑩而溫煦的信仰之火。

所謂「愛」承載於每一個生命的個體，個體與個體的交融聚匯像傳福音一樣將愛散播出去。我認為世界的美其中一點在於有人。是家庭、朋友、老師、陌生人。是男人、女人、普通人。一段關係，一段時光。幾雙眼睛，幾顆心。是教育的傳承、思想的交融、喜悅的分享、哀愁的歎息。是我在樂時有人同樂，在悲時有人擁抱。與我血脈相連的親人成為我最原始的庇護傘，我們之間有難以言說的、血濃於水的羈絆。他們將愛無私地傾倒在我身上，我就是愛的產物。結識良師益友，交換苦楚歡樂。做彼此的拐杖，為彼此上藥；做彼此的膏油，為他們加冕。從她們身上我看到群星，形色各異，無一不閃著光。我也看到她們與我相似又相異的傷疤，濕潤的淚痕、黯淡的雙眸，那使我知曉苦難像雪花一樣飄落在世上。疼痛與快樂的共情提醒著我自己從來都不是孤身一人，我們是大雁成群結隊地遷徙。落寞之時的肩膀，柔聲細語的安慰，將你我的思緒融為一體。卸下偽裝地敞開心扉，在深夜暢聊哲理與人生直至睏意降臨，你抿起嘴唇眯眼笑，我以為我在直視太陽。多喜歡在雨中大笑奔跑的下午，多懷念在寒冬的夜晚抱著二胡喊冷的時光，多感激在艷陽熄滅時兩個身心俱疲的身影在荔枝角公園的昏暗中繞上一圈又一圈。世上會有蒜皮般小事打進你心裡柔軟的地方，你比任何時候都要強烈地感知到世界的美。

你必須要承認苦難遊走於這個世界就像日出日落，潮起潮落。一種有人竭盡全力想要驅逐的存在，卻本來就是地母的一部分，難捨難分。苦難與幸福像羊蹄甲的兩半，像雙人舞的舞者，像同卵雙胞胎，像量子糾纏——分不開的。沒有了苦難的幸福像斷了發條的音樂盒，沒有了幸福的苦難像沒有星星的夜晚。只有兩個加在一起才是整體，否則毫無意義。獨有幸福不美嗎？但美得索然無味，美得毫無生氣。只有苦難卻沒有希望，等同於將人往漩渦裡拉。悲劇之所以美得驚天動地，是因為悲哀裡或多或少融著希望與溫情，又或悲劇的旁觀者或參與者曾經見過期盼。幸福之所以能達到無與倫比的高度，是因為見證過苦難或受苦難所推動。兒時目睹飛蛾撲火，

感歎的是生的魅力還是死的吸引力？盛夏黑蟬高歌至死，滿地黑壓壓的屍體，是生命的艷麗與死亡的壯觀的強烈撞擊。若是不曾有對自然的敬畏，從未受過死與痛苦的衝擊，我怎麼能昂首挺胸地說我珍愛生命？至親的家人也曾帶來難以磨滅的創傷與恐懼，但你能說我不愛嗎？成長的蛻變割開我的身體再血肉模糊地黏合，可你能說它不美嗎？即使人與人之間的牽掛與聯繫會讓我承受許久不散的某些落寞愁苦，然而你敢說一切的起始沒有幸福嗎？我無可否認世間的傷痛近乎為所有人生帶來撕心裂肺的疼痛，但我無法撒謊說我不愛這個世界。

苦是樂的催化劑，溫室裡的花艷麗卻寡淡無味，經歷撕扯的野花才真正能牽動人的靈魂。如果抹去痛苦的代價是斷去七情六慾，那我會義無反顧地選擇永遠處於苦樂的撕扯之中。不願意將苦難撕開扔掉，就像你不會想將靈魂撕成兩半。我曾在鼓浪嶼見過一隻左臉被抓瞎毀容的貓，那是我見過「最有深度」的場景之一。我常在文學裡讀到苦：曹文軒的《草房子》、余華的《活著》。樸實的筆觸，壓抑的情節，卻有豁然開朗的情感產生。因為有愛與美，所以苦楚能成為一種極致的、獨特的藝術性表達，可以牽動人內心深處真摯的感觸。我不會嘗試隱藏苦難，也不會佯裝失去歡笑，我知道我從一開始便幸得愛意從四面八方流入我的身體，我成為愛的載體。愛給予我平等地正視痛苦的能力。我不可能沒有恨過它，可我始終如一地尊重它、感謝它。我願意以真實的筆觸描寫它、暴露它，從中我又看到藝術的美感，苦難的美感——愛的美感。有同學關心我為何總是說起跳崖，我真誠地告訴她那就是我對世界的愛的一種藝術性表達。我願意相信我是正面的，也堅信我是充滿愛的。我想將愛的苦澀與美麗展現給我所能展現的人，無所謂他們的數量有多少、心態又如何。我是在說，我不需要他們向我反饋些甚麼，也不期盼自己能從中獲得甚麼。我想在黑暗裡唱樂與苦之歌，而若這歌聲被路過的人聽見，倘若他們願意讓歌聲滲進自己的生命中，或許也是一種愛的分享與變化。

概率

親愛的小熙與紫心：

今天去看海了。沒有甚麼去踏海浪的興致，或許是因為身邊沒有最想一起看海的人。說實話，我確實不知道自己想去哪裡或是做甚麼，總是覺得沒有在讀書便是浪費了時間。或許我應該去隱居，到森林裡或是熱帶小島上去，過沒有紛爭的日子。

港島區四處可見洋人，路上也有許多狗：比熊，蝴蝶犬、邊牧、柴犬、比高和臘腸。方才見到一隻俊俏的邊牧，雙眼上方兩塊橢圓的土黃色毛髮像日本武士的眉毛。牠棕黑的卷毛濃密而蓬鬆，吻部和四肢像初雪一般白，牠的雙眸似乎是融化了的火山岩，滲透著自信與朝氣。我要是養狗，定是要養這樣的狗。或許港島區的狗都是這般惹人欣喜的，又或許只恰恰是這隻狗，吸收了自然的精氣，充滿野性地從阿爾卑斯山上跑下來。我又見到一隻橘貓，翠綠的眼眸裡，瞳孔收成一根細針。牠尾巴似乎斷了一截——定是一隻野貓了。牠那樣慵懶地蜷縮在海邊的巨岩上，彷彿出現在那裡是一個不需要任何意義的事實。

我見到候鳥遷徙，飛在灰藍的天空中，高高低低。於是，蒼穹中便有個不規則的三角形變換著形狀，不斷左移。我又看到鳥群，在一排光禿禿的樹上喧鬧地叫著，像無數把兒童機關槍此起彼落地，發出「biubiu」的激昂聲響。不知怎地——或許是天時地利人和——牠們在同一個瞬間像是達成了某種共識，如砲轟一般集體起飛，掀起一陣炸裂的聲響。天空中略過一大片黑壓壓的身影，鳥群從這棵樹飛到那棵樹上。

深水灣的海有一百種顏色，水在夕陽下波動時呈一種活潑的黑色，又有無數條白金色的水紋擠在黑色之中跳躍舞動，那一刻海水格外鮮活。倘若太陽再壓低一點，或是你不願繼續低低地蹲在沙灘上，而是直起身來略微俯視海面，深水灣的海面便是一塊深沉的翡翠。爸爸說那是鴨屎一般的綠色，這讓我瞬間想起了化學課本第十四課裡，二價鐵離子與氫氧化鈉發生反應時所產生的鴨屎綠色沉澱物。噢，天啊，我的化學作業還沒寫完，生物作業也還沒碰過。星期二的中文統測，我也只讀了一首詩。我所來到這裡，是為了驅散上個星期發生的，再也不想回想的、可悲的事情所造成的情緒損傷。過兩天，我又要挺起胸膛面對叫我困擾的人和肅靜的地方。那裡的天花板太低了，那裡的人聲太壓抑了。我多想逃，可又該去哪裡呢？我歸回到自然裡，心卻被迫留在了混亂而嘈雜的地方，擔心自己的課業，責怪自己的軟弱。在

學校，我想回到家裡；在家裡，我想歸順於自然；真切地身處自然，我卻憂慮於學校。我哪也去不了，哪也不想待，我站在紫荊樹下，低垂的紫荊花幾乎掃到我的前額。我覺得胸口悶熱又喘不過氣來，渾身似乎都在滋滋冒著冷汗，似乎想立刻消失而不存在於任何地方——我像是一個快要倒下的人了。

當太陽壯麗地離去，留下的便只有糜爛的燈光廉價地閃爍。有人在海邊辦婚禮，司儀清晰的指揮將我抓回尷尬而嚴肅的社交回憶裡。燒烤區那頭有許多東南亞的面孔聚在一起歡呼，我理解不了他們的語言或文化，也不熱衷於他們粉紅色的蛋糕與錫紙裡裹著的魚。我無法與他們的快樂共情，在他們嬉鬧時我只覺得壓抑。

細沙被海風吹成彎曲的形狀，像有無數條隱形的蛇成群結隊地橫掃整個海灘。海面被黯淡的光照射而反映出詭異的銀色，像一灘巨大的、深不見底的水銀巨池。自然在城市燈火的荼毒下呈現不和諧的詭譎，巨大的扭曲感挑起內心深處的恐懼，壓得我快要崩塌。這裡適合發生一椿殘酷的命案，適合進行一場讓天地為之悲慟的祭祀，而我會看著、受到驚嚇，卻哪也逃不去。

我似乎常尋找活著的意義，並理想地認為人定是為了某個目標而活著。然而人類是先出生再堆積認知，是先活著才有目的；人類不是為了別的甚麼而活著，而是為了活著而活著。我活著，不需要做任何事，不需要成就任何人，不需要追求任何目的，不需要強硬地為自己附加任何高尚的意義。活著，它是一個事實。活著不需要理由，而是一個正在進行的、貫穿一生的動詞。我不必著急於活著，也不必著急著死去，

即便我不做任何事，也是安靜地活著。無論如何我總是會活著的，這是無可質疑的事情。

昨天，爸爸與我討論量子糾纏的問題。在量子的世界裡，一切以概率的形式存在著。你出現在這裡，不是因為你做了任何事，也不是因為任何事造就了你。你看似在這裡，是因為你身上的那顆粒子當時存在在「這裡」的概率最大，而密密麻麻地存在於宇宙各地的概率小得微不足道。按量子力學的說法，在每一分每一刻我都以不同的概率同時存在於「這裡」與宇宙各地，且無需任何理由地存在於「這裡」。倘若我在「這裡」一動不動地站上幾百億年，有幾個瞬間我的可視影像會有概率瞬移到宇宙任何一地。於是，在與因果論極其矛盾的量子宇宙裡，我無需思考，也不必深究人生的哲理了。我存在於此地，遭受任何痛苦或委屈，全是概率的問題。我大概率在這裡，大概率地感到寂寞焦慮，大概率過完這一生，大概率深思於人生的意義——一切似乎並不由我所決定，那我也不必思考，只需要好好活著，再根據概率而做一些似乎被稱為積極人生的舉動就可以了。明天會發生甚麼？以後會發生甚麼？那會是概率的問題了。

親愛的友人，我大概率是個孤獨的人，也大概率是一個釋然的人。

佳佳

信三封

小㷆：

願一切安好。

謝謝你的信和這兩天的小零食，我確實好多了。曾經有那麼幾個瞬間，我覺得一切不會再好起來。但是，感謝上帝，生活確實在逐漸變好——至少這個結局可以稱得上是皆大歡喜的。

我自問最近經歷的一切對於不諳世事的我們來說是否為時過早。我從沒見過你笑。在我眼中你宛如一尊沉靜的石像。並非說你不活潑，而是對生活的麗態，對成績的不在乎、對人生的隨性與樂觀叫你逐漸化為一尊貫穿歲月的石像。我常對家裡人說起你，說你盡責又勇敢，說你父母風趣幽默，說你是我見過最好的班會幹事，也是情商最高的相識了。我會設想你在甚麼情況下會難過，有甚麼事情會讓你落淚。那天你笑了，我的心也要碎了。似乎一場艱難的改變，與其中互相矛盾的對話，總要造成受傷。笑彷彿不屬於你，因你應當是被所有人好好愛戴與尊敬著的。當你笑起來，我像是看到你身上被酸雨侵蝕的痕跡，我像是覺得事情觸碰到了難以原諒的底線。

我像是砸開一尊石像，發現裡頭裹著亮晶晶的翡玉。課上學過，要讓一個國家真正團結，必須經歷大範圍的苦難。我總感覺那個佈滿枯枝敗葉的公園裡踱步的那個晚上，悲痛將我們兩個拉近了。負面的情緒將我們的友誼帶到更高的高度。惺惺相惜的兩個人，他們能走過風和雨。你在我的眼中變為輪廓更加清晰的一個形象了。

抱薪者。我願做抱薪者，為信念發聲的人試圖點亮火焰。在濃稠的夜裡，要抗住冰冷的空氣，忍住眼淚鼻涕，抱著柴火在雪地裡等待天時地利。走一條自身堅信為正確道路像在逆流而上，力求闡明的路程定是傷痕累累。但即便我如此依舊會這樣做嗎？即便如此即便重複千百萬次我也依舊會這樣做，就算我頭破血流。因為我要對得起自己，我便是這樣有情亦無情的一個人了。

親愛的小熙，所發生的一切都不是你的錯，可經歷點苦難，總強過溫室裡的花。如果以後能雲淡風輕地提起此事，我想我們定又高了一個層次。擁抱苦難與感謝苦難直到一個個體死去。這是我能想到最有分量的祝福了。

法法

2月18日

小甌:

謝謝你的來信與日記分享，文字上的交流使人心情愉悅。你對我的讚美實在是抬舉了，我沒有理由否定你的真心。也只有此刻我能真的為自己而感到驕傲。

送你的一條紅繩子。是我小學的時候買的。還記得小時候我特別不喜歡紅色，那全我想起鮮血與可怕的事情。可這條手鏈卻奇異地為我帶來溫情與喜氣，彷彿戴上它，我就成了大年初一在老家穿新衣、戴新帽，紮兩根翹起的小辮兒的小小妹。我想把它送給你。我知道你我相似，並非熱衷於時髦產物的新潮青年。對我而言，傳統物件反而更能勾起自己的思緒。若是有人送我曾經屬於自己的任何飾品或玩物，那便彰顯了二人交情的深厚。比起煥然一新的禮物，受過歲月沖洗的陳物吸收了你身上的意志與人格，再來轉送給下一人，更能起到扶持與精神慰藉的作用。希望你能理解怪異的我所送怪異的禮物背後的用意，能體會到蘊藏在紅繩與木雕魚背後的韻味與深情。

今天聽到老師說自己身體抱恙的消息，心裡實在不好受。他確實是一位不錯的老師，我也打從心底地尊敬他。我深切地感受到了活著的不容易，而在我身邊

98

的每一個人都艱難地活著。唉，這世上有誰不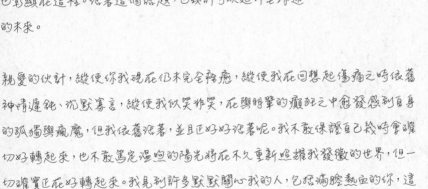
會經歷苦難呢？都是默默捱著，自我排解罷了。
誠然，活著確實是理所當然且不需理由的事情，但
這也並不代表活著不需勇氣和毅力。生命的可貴，或許
也彰顯在這裡。活著這個謎題，也或許可以延伸至深遠
的未來。

親愛的伙計，縱便你我現在仍未完全痊癒，縱便我在回想起傷痛之時依舊
神情遲鈍、沉默寡言，縱便我似笑非笑，在與時輩的癲狂之中愈發感到自身
的孤獨與痛魔，但我依舊活著，並且正好好活著呢。我不敢保證自己幾時會確
切好轉起來，也不敢篤定溫暖的陽光將在不久重新照耀我發黴的世界，但一
切確實正在好轉起來。我見到許多默默關心我的人，包括滿腔熱血的你，這
何嘗不是苦難的美處呢？儘管頗為困惑，卻沒有比現在更安心的時候了。

概率讓我生在這裡向你寫信，也是概率讓我們相遇。

法法

小熙：

三月一號錯過了校車，從網上下載一份化學模擬卷來做。趁著這個機會，也讀完你的信了。我認為是寫得十分好的，我喜歡理學與文學碰撞所產生的比喻與靈感，那似乎是另一種交流方式。記不清是愛因斯坦還是霍金說過（又或許是別人？不記得了。）三維空間加上時間便是四維空間。期待我們在四維空間的量子碰撞。

謝謝你對我的認可。儘管我從未對自己的所作所為有過任何質疑，但當情緒上的痛楚被人誠摯地理解與安撫，這種快樂依舊是、也一直都是無與倫比的。我不認為沉默與笑淡是失敗者的象徵———從來沒有。眼淚有它存在的意義，沉默有時也勝於言語，只是看我們怎麼運用他們罷了。一個團體，總不可能所有人都有同樣的想法與舉止。我願意表態，也願意盡己所能守護群體的權益，那僅僅是一個項圈的平凡個體所與生俱來的倔強個性。我發現自己大概是一個重情的人，因當我認定自己屬於某個群體，就會死心塌地地將自己落地生根般種進去我希望這不會加重自己的奴性———奴性是最讓我懼怕的存在之一。但這件事情似乎讓我看清，我不是一個與奴性太為掛鉤的人，至少我仍有自己堅定的思想與認知，這是好事。

有時朋友可貴在於願意暴露自己軟弱的一面。或許在這一點上，我們應該感恩這件破爛事。我見到許多關心我們的人，感恩他們的存在，不斷提醒著我有人

愛我。如今我與和這件事情相關的人互動，也終於做到沒有隔閡。我跨過了內心的那道坎，不再懼怕嘈雜的人群與不被理解的落寞。請為我歡呼，因為我終於能夠獨自回家。我不如以前那般極致地懼怕孤獨———某程度上，這是一次蛻變吧。

我想除了勇敢，我們還需變得堅強。媽媽說我夠勇敢，但是不夠堅強，以後的路會頗為難走，也不容易進步。我要努力變得更堅強一點，連帶著變得更自信一點啊許多事情並沒有想像中的那麼糟糕，心是自身的懷疑先行叫我多慮與畏懼。在新年的時候我為自己訂立了一個目標：要有自信。曾經我相信自己無所不能，我希望重拾那時候的心態。首先要問心無愧、胸有成竹，一切終會變得如魚得水，人生的道路也會開闊。

所以我喜歡蟬。不單單因為其留在我童年的夏日裡無止境地喧鬧，也因為它鍥而不捨、勇往直前，一次次刻骨銘心地蛻變而變態為成蟲。你總能從周遭的事物裡找到一些靈感與依戀，他們讓你在無數個瞬間豁然開朗起來。泥地上舞動的影子與嘈雜的風；他們可以成為你的生活，也可以成為將你留在這世上的牽掛。成長是多麼艱辛的過程啊，但我因其而得到高效的快樂。

泫泫

後語

能完成這本書，首先要感謝自己，再謝謝身邊所有給予我支持的家人、朋友、愛我的人。沒有你們，我完成不了《崖歌》。請原諒我時而冗長、露骨的筆觸。我不認為自己有能力粉飾或美化苦難，也沒有權利這麼做。生命苦而在於美，美而在於苦，一切不言而喻。這確實是一個愛的故事，也是即將十六歲的我送給迷茫的生命的，所能想到最好的禮物。

寫於 2023 年 4 月

香港青年協會

hkfyg.org.hk | m21.hk

香港青年協會（簡稱青協）於 1960 年成立，是香港最具規模的青年服務機構。隨著社會瞬息萬變，青年所面對的機遇和挑戰時有不同，而青協一直不離不棄，關愛青年並陪伴他們一同成長。本著以青年為本的精神，我們透過專業服務和多元化活動，培育年青一代發揮潛能，為社會貢獻所長。至今每年使用我們服務的人次達 600 萬。在社會各界支持下，我們全港設有 80 多個服務單位，全面支援青年的需要，並提供學習、交流和發揮創意的平台。此外，青協登記會員人數已逾 45 萬；而為推動青年發揮互助精神、實踐公民責任的青年義工網絡，亦有逾 23 萬登記義工。在**「青協·有您需要」**的信念下，我們致力拓展 12 項核心服務，全面回應青年的需要，並為他們提供適切服務，包括：青年空間、M21 媒體服務、就業支援、邊青服務、輔導服務、家長服務、領袖培訓、義工服務、教育服務、創意交流、文康體藝及研究出版。

青協網上捐款平台
giving.hkfyg.org.hk

香港青年協會專業叢書統籌組

香港青年協會專業叢書統籌組多年來透過總結前線青年工作經驗,並與各青年工作者及專業人士,包括社工、教育工作者、家長等合作,積極出版多元系列之專業叢書,包括青少年輔導、青年就業、青年創業、親職教育、教育服務、領袖訓練、創意教育、青年研究、青年勵志、義工服務、國情教育等系列,分享及交流青年工作的專業知識。

為進一步鼓勵青年閱讀及創作,本會推出青年讀物系列書籍,並建立「好好閱讀」平台,讓青年於繁重生活之中,尋獲喘息空間,好好享受閱讀帶來的小確幸,以文字治癒心靈。

本會積極推動及營造校園寫作及創作風氣,舉辦創意寫作工作坊及比賽,讓學生愉快地提升寫作水平,分享創新點子,並推出「青年作家大招募計劃」、「校園作家大招募計劃」及「全港即興創意寫作比賽」,為熱愛寫作的青年提供寫作培訓、創造出版平台及提供出版機會。

除此之外,本會出版中文雙月刊《青年 空間》及英文季刊「Youth Hong Kong」,於各大專院校及中學、書局、商場等平台免費派發,以聯繫青年,推動本地閱讀文化。

校園作家大招募計劃 2022 / 23

香港青年協會一向致力推廣青年閱讀及創作，多年來出版多元系列的專業叢書。為了進一步提升中學生中文寫作水平及興趣，以及營造校園創作風氣，由語文教育及研究常務委員會（語常會）支持及語文基金撥款，香港青年協會專業叢書統籌組於2022/23 學年舉辦「校園作家大招募計劃」，通過一系列學習、培訓、實踐和比賽活動，包括「寫作訓練工作坊」、「寫作訓練營」，以及「校園作家選拔賽」，鼓勵學生積極參與創作，並將獲獎作品出版成書或發布。

計劃舉辦四年來一直深受學界歡迎。本屆共接獲 120 間學校報名，最後從超過 370 位報名者中，選出 80 位滿懷作家夢的中一至中四學生，由 2022 年 11 月起接受 5 個月的寫作培訓。計劃很榮幸邀請到黃怡女士、林志超先生、李維怡女士、李日康先生、羅樂敏女士、葉秋弦女士以及陳子謙先生，從寫作大綱到作品終稿，逐步指導學員完成創作。主辦方特別舉辦為期三日兩夜的「寫作訓練營」，安排了書籍封面設計工作坊、校園作家分享會、作家分享會、創作交流會、好書導讀及創作環節。

經過專業評審的評分選拔，德望學校的黎欣瞳和陳佳穎分別奪得本屆小說組及非小說組冠軍。兩位同學的作品均於 2023 年夏季出版，更於本年的書展及市面作公開發售，一圓作家夢。

語文教育及研究常務委員會（語常會）
致力提升香港市民兩文三語的能力

語常會於一九九六年成立，就一般語文教育事宜及語文基金的運用，向政府提供建議。自成立以來，語常會通過運用語文基金，配合政府、其他諮詢組織和持分者的努力，資助並推行不同的措施，以幫助港人，尤其是學生和在職人士，提升兩文（中、英文）三語（粵語、普通話及英語）的能力。工作包括：

一、 推行有關本地及國際語文教育的追蹤研究和比較研究，
　　　以助有效制訂和推行語文教育政策；

二、 加強對幼童學習中、英文的支援；

三、 加強語文教師的專業裝備及持續發展；

四、 照顧學習者的學習多樣性，包括非華語學生的需要；

五、 與有關持分者，特別是社會人士合作，
　　　在學校內外營造有利學生學習語文的環境；以及

六、 配合語言景觀的轉變，提升本地在職人士的語文水平。

崖歌

出版	：	香港青年協會
訂購及查詢	：	香港北角百福道 21 號
		香港青年協會大廈 21 樓
		專業叢書統籌組
電話	：	(852) 3755 7108
傳真	：	(852) 3755 7155
電郵	：	cps@hkfyg.org.hk
網頁	：	hkfyg.org.hk
網上書店	：	books.hkfyg.org.hk
M21 網台	：	M21.hk
版次	：	二零二三年七月初版
國際書號	：	978-988-76280-2-6
定價	：	港幣 80 元正
顧問	：	何永昌先生，MH
督印	：	徐小曼
作者	：	陳佳穎
編輯委員會	：	黃好儀、周若琦、許若天
執行編輯	：	周若琦、許若天
實習編輯	：	蔡旻羲、廖小暢、鍾加恩、張立衡
設計及排版	：	陳美光
製作及承印	：	一代設計及印刷有限公司

Cliff Song

Publisher	:	The Hong Kong Federation of Youth Groups
		21/F, The Hong Kong Federation of Youth Groups Building,
		21 Pak Fuk Road, North Point, Hong Kong
Printer	:	Apex design and printing company Ltd
Price	:	HK$80
ISBN	:	978-988-76280-2-6

青協 App　立即下載